LAS VIDAS QUE INVENTAMOS

FERNANDO J. LÓPEZ

LAS VIDAS QUE INVENTAMOS

ESPASA

ESPASA ⊛ NARRATIVA

© Fernando J. López Martínez, 2013
© Espasa Libros S. L. U., 2013

Diseño e imagen de cubierta: más!gráfica

Depósito legal: B. 29.900-2012
ISBN: 978-84-670-0885-2

Espasa, en su deseo de mejorar sus publicaciones, agradecerá cualquier
sugerencia que los lectores hagan al departamento editorial por correo
electrónico: sugerencias@espasa.es

www.espasa.com
www.planetadelibros.com

Impreso en España/Printed in Spain
Impresión: Unigraf, S. L.

Espasa Libros, S. L. U.
Avda. Diagonal, 662-664
08034 Barcelona

El papel utilizado para la impresión de este libro es cien por cien libre de cloro
y está calificado como **papel ecológico**

*A Miryam, por ayudarme a inventar
todas las vidas que habitan en mí.
Y por compartirlas conmigo.*

*Y a mi hermano, por ser uno de los pilares
fundamentales de todas y cada una de esas vidas.*

Cierta persona de mi entorno, sabe usted, dividía a los individuos en tres categorías: los que prefieren no tener nada que ocultar antes que verse obligados a mentir; los que prefieren mentir antes que no tener nada que ocultar, y finalmente los que aman a la vez la mentira y el secreto.
Le dejo escoger la casilla que mejor me conviene.

ALBERT CAMUS,
La caída

No necesitamos engañarnos el uno al otro.
La vida no es muy larga. Tenemos una obligación con nosotros mismos: buscar el camino de la felicidad.

LAWRENCE DURRELL,
Balthazar

No voy a mirar atrás.

Sigo conduciendo, pero no dejo de escuchar ese maldito golpe... Mierda, Leo, desde ahora ese sonido va a estar siempre ahí, destrozándote. ¿No habías pensado en eso? A lo mejor tenías que haberte detenido, a lo mejor tenías que haberte bajado del coche para ver si podías hacer algo. ¿Hacer qué? ¿Y cómo? No se podía hacer nada. Ni siquiera sé a quién he atropellado. Parecía una chica, pero...

Sigue conduciendo. Vamos, pisa el acelerador, no te detengas ahora. Y si te hubieras parado, ¿qué? No, Leo, la solución no es complicarse la vida. Ya es todo bastante jodido. Y lo sabes... No puedes ponértelo todo más difícil aún porque alguien haya cometido la locura de atravesarse en esa curva. Sin visibilidad. Joder, que hay que estar loco o ser un suicida para salir corriendo justo allí, en plena carretera. Y con esta lluvia... Claro que sí, seguramente ha sido eso: un puto suicida. Son unos egoístas, eso es lo que son todos, que ya podrían molestarse en ahorrar el sufrimiento a sus familias. O, por lo menos, matarse ellos solitos, sin complicar la vida de alguien que solo quiere volver a su casa después del trabajo. Mierda de trabajo. Mierda de lunes. Y mierda de suicidas.

Respira hondo, Leo, tú no tienes la culpa. Repítelo: yo no tengo la culpa. Yo solo conducía cuando alguien salió corriendo de la nada. Por eso ni he parado ni me he bajado del coche. No es justo que mi vida se complique por algo de lo que no soy responsable. Mi vida y la de Gaby. Y la de Adrián. Nuestra vida, joder. Nuestra vida no se puede estropear porque un tipo egoísta haya querido suicidarse, ¿verdad, Leo?

Por fin llego al garaje. Aparco y me preparo para entrar en casa. Es una mentira más, nada del otro mundo. Solo tengo que besar a Gaby, saludar con normalidad a mi hijo y, después, mantener una conversación lo suficientemente escueta como para que no parezca que ha sucedido nada extraordinario. Mantener una conversación algo más extensa, o incluso más profunda, sería un signo de anormalidad rápidamente interpretado por mi mujer, porque puede que Gaby sea algo despistada —conmigo especialmente—, pero tonta, no.

Mejor no levantar sospechas. No manifestarme especialmente abierto. Ni especialmente divertido. Ni especialmente cariñoso. Con que mantengamos la charla anodina de cada noche será suficiente. E incluso puede que, si no acabamos demasiado cansados, hasta terminemos en la cama haciendo algo más que dormir. Eso me vendría bien. Las mentiras y la culpa se sobrellevan mejor —o eso parece— después de un buen polvo.

Uno

1

KIKE45:	Cam?
ILSA_MAD:	Ahora?
KIKE45:	Y por qué no?
ILSA_MAD:	Está al llegar...
KIKE45:	Solo 1 momento.
ILSA_MAD:	Necesitas ver?
KIKE45:	Prefiero ver. Tú no?

—Hola.

Minimizar el chat. Maximizar la ventana de Excel con no sé qué documento que he abierto al azar. Fingir interés y completar cifras aleatorias en alguna celda del programa.

—Hola, Leo. No sabía que ibas a llegar tarde.

—Te avisé.

—¿Seguro?

—Sí, Gaby, te dije que hoy lunes debía ver a unos clientes.

No lo recuerdo, pero teniendo en cuenta lo abarrotada que está mi agenda, tampoco me atrevo a discutirlo. Entre la de la BlackBerry, la de papel y la del iPad —sí, porque no tenía bastante con mi adicción al móvil y he decidido hacerme una yonqui tecnológica integral— estoy tan abrumada por las obligaciones que olvido los comentarios laborales de mi marido con una precisión casi sistemática. Eficaz sigo siendo, claro, pero porque sé sobreponerme al caos y, sobre todo, porque llevo tantos años haciendo lo mismo, me guste o no, que me he ganado mi espacio y mi reputación.

—¿Y fue bien, Leo?

—Sí, ¿por?

—No, por nada.

—¿Es que pasa algo?

—No seas suspicaz, anda. Solo te preguntaba.

—Preguntarías por algo.

—Pues no sé, porque me apetecía algo así como entablar una conversación, ya ves. Tonterías de esas, Leo.

—Estoy bien. Estoy fenomenal. Estoy cojonudamente bien.

—Vale. Ya me ha quedado claro.

— ¿Y Adrián?

—*Cojonudamente bien*, supongo.

—¿Dónde está?

—En su cuarto.

—¿Estudiando?

—Depende de lo que entiendas por estudiar.

—No seas sarcástica, dale un voto de confianza.

—No ando yo muy sobrada de eso... Como para malgastarlo con él.

—¿Habéis cenado ya?

—No, te estábamos esperando. Iba a mandarte un sms para saber si venías o no.

—¿Y por qué no lo has hecho?

—¿Y por qué estás tan borde?

—A veces no te entiendo.

—¿Solo a veces, Leo?

—Pero ¿qué te pasa hoy? ¿Tienes ganas de discutir? ¿Es eso?

—¿Yo? Qué va, para nada. Yo estoy como tú, Leo. *Cojonudamente bien*. Aquí en esta familia es que somos así.

—Voy a ver a mi hijo.

Mi hijo. Toma ya. Hoy es *mi hijo*. Tiene gracia cómo cambia el posesivo según el momento en el que se hable de ese marciano que hace solo un par de años era un crío encantador y que ahora, gracias a esa pandemia llamada adolescencia, es un personaje hermético y profundamente antipático. Cuando quiere posicionarse contra mí —y yo, no sé por qué, intuyo que esta noche me apetece eso mismo— Leo lo llama *mi hijo*, así, con un *mi* gigantesco de padre coraje que, honestamente, me resulta ridículo.

Y él dirá lo que quiera, pero bien no está. Le habrá sucedido algo en esa reunión. O con algún amigo. Incluso puede que haya tenido otra bronca telefónica con David, porque desde que les pasó lo que les pasó se llevan a matar. Quizá le haya llamado, no sé, o a lo mejor es que ha visto o ha escuchado algo que le ha vuelto a remover ese tema... Si no estuviera tan harta de pelear por hacerle hablar hasta se lo preguntaría. Pero el padre y el hijo exigen tanto esfuerzo dialéctico que prefiero aprovechar que él se va a la habitación de Adrián para regresar a la —de momento, poco prometedora— ventana de mi chat.

—Gaby, ¿qué hay de cena?

—Eso mismo te iba a preguntar yo —le respondo a la voz que me interroga desde el pasillo.

—Olvídalo.

Me harta que, tan a menudo, él vuelva a los malditos roles. Que me pregunte cosas que no sé por qué tendría que saber yo y que, encima, se lo tome a mal si le respondo. Lo malo es que a veces, de puro estrés, ni siquiera yo tengo muy claro el rol que supuestamente nos corresponde a cada uno. ¿El rol de qué? ¿Y de quién? Si hasta nuestros nombres son extraños. Cuando nos presentamos en algún sitio siempre piensan que él es Gaby y que yo soy Leo, y siempre —qué rutinario es todo, ¿no?— hay que explicar que yo soy Gabriela y que él es Leonardo, aunque esos nombres —los originales, los sexualizados— no nos gusten nada y prefiramos la ambigüedad de sus abreviaturas.

—Adrián, ¿te apetece una pizza? —grita el padre desde su dormitorio mientras, supongo, se quita corbata, chaqueta, pantalón y mocasines.

—Sí —gruñe afirmativamente desde su cuarto una voz masculina que se parece mucho a la de mi hijo.

Mientras ellos deciden los ingredientes a voz en grito, finjo que sigo trabajando y busco al tal Kike45, a ver si me ofrece algún tipo de excitación que me saque del prosaísmo del beicon y el extra de mozzarella.

Kike45:	Has vuelto?
Ilsa_Mad:	A ver si me sorprendes...
Kike45:	Cómo?
Ilsa_Mad:	Si te digo cómo, ya no es una sorpresa.
Kike45:	Ya.
Ilsa_Mad:	Y?
Kike45:	Y qué?
Ilsa_Mad:	Que cómo piensas seducirme?
Kike45:	Cómo quieres que te seduzca?
Ilsa_Mad:	Improvisa.

Y me manda una foto. Está claro que el factor sorpresa no es lo suyo. Y el don de la palabra, tampoco. Pero la foto tiene su punto y, sobre todo, es lo bastante explícita como para que me apetezca seguir jugando. Tengo, por lo menos, quince minutos hasta que comience la estupenda cena familiar.

Kike45:	Entonces?
Ilsa_Mad:	Mañana te busco por aquí.
Kike45:	Lo harás?
Ilsa_Mad:	Tal vez... Me apetece ver si las fotos se corresponden con la realidad.
Kike45:	Son recientes.
Ilsa_Mad:	Cómo de recientes?
Kike45:	Tú no tienes?

ILSA_MAD: De esta semana, de este mes, de este año...?

KIKE45:   Pasa alguna.

ILSA_MAD: Hazte tú una ahora mismo.

KIKE45:   No puedo.

ILSA_MAD: Te vigilan o es que solo eres fotogénico a veces?

KIKE45:   Estoy en el trabajo.

ILSA_MAD: A estas horas?

KIKE45:   Sí.

¿Será verdad? A lo mejor trabaja de segurata. O de bombero. O de policía. O de enfermero. O de médico... Me imagino todas las profesiones que exigen uniforme y siento que la idea, de puro tópica, hasta me excita. No creía que pudiera ser tan básica en el tema de las fantasías, pero supongo que, una vez que se empieza a indagar en el factor del riesgo —el peligro de que puedan verme, de que puedan leerme, hasta de que puedan sorprenderme ahora mismo mirando sus fotos—, todo resulta mucho más morboso de lo que parecía. Solo me queda saber si ese nivel de morbo se mantiene, luego, en el mundo no virtual. Y, teniendo en cuenta el vértigo que me da lanzarme fuera de la pantalla, no estoy segura de si me atreveré o no a comprobarlo.

KIKE45:   Pasa tú alguna foto.

ILSA_MAD: ¿Seguro que estás trabajando?

KIKE45:   Mareas mucho.

ILSA_MAD: Concretas poco.

Un timbrazo.

—Leo, ¿puedes abrir?

—Estoy a medio vestir, ¿no puedes abrir tú?

—Voy.

Desde el pasillo veo a Leo medio desnudo y, si tengo que ser justa, su cuerpo está algo mejor que el del tipo del chat. No es que ninguno de los dos sea perfecto —algo de tripa, brazos no trabajados, normalidad de cuarentones sin excesos atléticos—, pero el de Leo es bastante más armónico

17

que el del tal Kike45. Sin embargo, ahora mismo me resulta mucho más excitante el internauta. Se llame como se llame de verdad. Y se dedique a lo que se dedique. Si estuviera sola puede que hasta me divirtiera hoy subiendo el tono del chat... Pero eso de estar sola —de encontrar momentos para mí— es mucho más complicado de lo que debería. Quizá debería cogerme un día en el trabajo —total, aún me deben más de una semana de vacaciones— y desaparecer. Sí, eso estaría muy bien. Desaparecer.

KIKE45:   Y tu nick?

ILSA_MAD: Qué?

KIKE45:   De qué viene? De Elsa?

No es que antes me pareciera un genio, pero esto...

ILSA_MAD: De una película.

KIKE45:   Cuál?

ILSA_MAD: Adivina.

KIKE45:   No me gusta el cine.

ILSA_MAD: Es un clásico.

KIKE45:   No soporto los clásicos.

Una vida cultural fascinante, sí señor.

ILSA_MAD: Ninguno?

KIKE45:   Pero tú qué buscas? Un máster en cine o un buen polvo?

ILSA_MAD: Un buen polvo con alguien que me pueda dar un buen máster en cine. O en lo que sea.

KIKE45:   Eres un poco estirada, no?

ILSA_MAD: Tú sí que sabes seducir a una mujer, eh?

Un tipo que no sabe quién es la Ilsa de *Casablanca* es un tipo que no puede entrar en mi cama. Así de fácil. No es que yo tenga una lista de requisitos muy elevados, pero sí hay unos mínimos. Higiene. Cero faltas de ortografía. Y un cierto conocimiento de cine, literatura y música. Nunca me ha puesto la gente que no cumple esas exigencias. Y seguro que me he perdido más de un orgasmo legendario por ser tan exquisita, pero es que no hay nada que me baje tanto la libido como la zafiedad, y la gente que no sabe disfrutar de una buena película, de una buena novela o de un buen concierto suele ser gente zafia. Como dice mi amigo Jorge, hay normas tan estúpidas que nunca fallan y esa, que los dos compartimos, es una de ellas.

Bloqueo a Kike45, guardo las fotos en la carpeta donde colecciono cadáveres de cibernautas recientes desde hace un par de meses y me dispongo a cenar con mi marido y con mi hijo, dos personas a las que estoy segura de que quiero aunque no tenga ni idea de cómo ni con cuánta intensidad lo hago ahora mismo.

Ante la falta de temas de conversación conyugal, Leo y yo optamos por el habitual interrogatorio a Adrián, que —¿pero esto algún día mejorará?— nuestro marciano adolescente contesta con monosílabos, alguna que otra oración escasamente elaborada y gruñidos tímidamente expresivos. Agotados los recursos dialécticos, en los que esta noche Leo no colabora nada —¿se puede saber qué coño le ocurre?—, optamos por encender el televisor y fagocitar, mientras comemos, una telecomedia estúpida en la que hay gente que, milagrosamente, sí tiene cosas que decirse.

—¿Mañana viajas, Gaby?

La respuesta es un no. Mañana no tendría que...

—Sí, Leo. Mañana duermo en Barcelona. Tengo un par de conciertos que cerrar.

No debería haber mentido. No tendría que haberle dicho que voy a viajar cuando sé positivamente que no lo haré. Y, sin embargo, no puedo evitar alargar mi coartada —que si una gira, que si una cantante nueva, que si unos contratos promocionales— mientras me voy ilusionando con la idea de tener esa noche para mí. ¿Para alguien más? Podría quedar con Jorge —desde que Hugo rompió con él agradece mucho mi compañía— o, mejor aún, podría echarle valor y conocer a alguno de esos tipos del chat a los que, hasta hora, me he limitado a coleccionar en mi carpeta. O (en un arrebato de sorprendente proactividad) podría citarme, si tuviera la más ligera idea de cómo, con algún tipo nuevo que supere a los de la carpeta en cuerpo y, ya puestos, también en cinefilia. Sí, sobre todo eso, en cinefilia.

—¿Viajas sola?

—Con lo de los recortes no está la cosa para mucho acompañante.

—Ya.

—Joder, que no me entero. —El marciano adolescente interrumpe con su calidez habitual.

—Otro joder más y te vas a tu cuarto, ¿está claro?

Silencio.

—¿Está claro?

—Que sí.

Antes de acostarme le mandaré un e-mail a mi jefe para informarle de que mañana me tomaré el día libre. No hace falta que le dé ninguna razón para ello —estoy en mi derecho después de todas las horas de más que llevo trabajadas este año—, pero sé que Alejo refunfuñará menos si le cuento que mi madre necesita que la acompañe a unas gestiones. O a unas pruebas médicas. Qué más da: las madres son muy útiles en estos casos... No puedo evitar sonreír al imaginar que este martes, gracias a una mentira sin importancia, disfrutaré de unas cuantas horas para mí sola. Horas lejos de aquí, de la cena con la televisión a todo volumen, de la tarde leyendo y contestando notas de profesores en la agenda de Adrián, o ayudándole con sus exámenes, o fingiendo que me hace sonreír alguna anécdota insípida del trabajo de Leo. Y no es que no me guste del todo mi vida, es solo que, ahora mismo, tampoco me divierte. Sí, exacto. Eso es.

Es que no me divierte.

2

—¿Otra vez el estómago, Leo?

Me molesta que pongan en duda lo que digo. Incluso cuando lo que digo no es verdad. Está bien, no es cierto: pero podría serlo. Y por eso me cabrea que no quieran creerme, porque en realidad el problema no reside tanto en mi excusa (nada del otro mundo), como en su insufrible suspicacia. La de mi jefe, que es la peor de todas, me parece una costumbre de pésimo gusto.

—Sí, Ernesto, sigo haciéndome pruebas.

—No me habías dicho nada.

—Parece que no es muy serio, pero quieren estar seguros. Ya sabes cómo son los médicos.

—Pues nada, Leo, mejórate.

—Gracias, Ernesto. Mañana te veo.

—Eso espero.

No sé si el «eso espero» de mi jefe ha sido una ironía, pero no me ha gustado. A mí, y eso lo sabe todo el que me conoce, no me gustan nada las ironías. Me sacan de quicio los dobles sentidos, los sarcasmos hirientes y las supuestas agudezas de ingenio que, por ejemplo, tanto parecen entusiasmar a Gaby. A mí se me da mejor el mensaje directo, sin tanto rodeo ni tanto coñazo verbal, que parece que tiene que hacer uno un comentario de texto cada vez que ciertas personas —mi mujer incluida— abren la boca.

Da lo mismo. La excusa del estómago puede que sea muy floja, pero llevo años usándola y ya tengo una seria reputación al respecto como para que no resulte verosímil. Pruebas, revisiones e incluso una supuesta operación que jamás llega, pero que me permite faltar al trabajo en días en los que, como hoy, tengo algo importante que hacer fuera de la sucursal. Allí, a fin de cuentas, no me echarán de menos. Ayer dejé los marrones pendientes —por puro azar y sin imaginar cuánto me iba a alegrar de esa pequeña maldad— en la mesa de Gonzalo, así que ahora mi compañero estará peleándose con un par de asuntos de esos que a mí, últimamente, me dan mucha pereza.

La que no termina de irse a trabajar es mi mujer, que no deja de olvidar y recordar cosas que suelta y mete, alternativa y bipolarmente, en el bolso. Cada vez duerme menos y se levanta antes, así que ya he desistido de esperar a que algún día se le ocurra alegrarme el despertar con un polvo matutino de esos que antes —¿cuándo empezamos a ser así?— sí que echábamos. Gaby no parece haberse preocupado mucho —apenas me ha preguntado si me encuentro bien— y solo se interesa por lo que tiene que meter en la maleta.

—¿Llevas tú a Adrián al instituto?

—Leo, tengo que coger un tren a Barcelona...

—Te da tiempo.

—Joder, ¿tan mal te encuentras?

—Bastante.

—Mira que os quejáis, ¿eh?

—¿Nos quejamos? ¿Quiénes?

—Los hombres, Leo. Os quejáis muchísimo.

—Si yo hubiera dicho algo así, me habrías llamado sexista.

—Porque sería mentira. Las mujeres nos quejamos menos. No tenemos tiempo ni para eso...

—Menudo tópico.

—¿De verdad que no puedes llevarle tú?

—Ya ves que no.

—Genial.

A veces me pregunto si Adrián escucha este tipo de conversaciones... Me consuela creer que no, porque el volumen de su iPod suele impedirle cualquier tipo de comunicación que no incluya gritos, ultrasonidos o gestualizaciones hiperbólicas.

—¿Nos vamos o qué?

—Hoy te lleva tu madre.

Adrián me mira con un desinterés absoluto —le da igual quién le lleve— y Gaby termina, al fin, de abrir y cerrar compulsivamente la maleta. Nunca habría imaginado que un simple viaje de trabajo pudiera ponerla tan nerviosa —¿será cosa de la edad y eso?—, pero tampoco me preocupa mucho. Su escapada laboral es de lo más oportuna y me da tiempo para decidir cómo entierro —vaya, no sé si ese es el mejor verbo— lo que sucedió ayer.

—Te mando un sms en cuanto llegue.

—Claro.

En realidad, no me hace falta que lo haga. A mí eso de los mensajes de «ya he llegado» siempre me ha parecido un gasto inútil. Total, si uno no llega, te enteras enseguida. Y si llegas, pues se da por hecho que todo va bien. Tanta histeria no me aporta gran cosa. Es más, no me aporta absolutamente nada. Y menos hoy, porque puede que ni siquiera vea su sms. Hoy tengo que centrarme en ocultar las huellas de lo que pasó anoche. En investigar todo lo que pueda al respecto antes de que alguien llegue a relacionarme con una tragedia de la que solo soy una víctima.

Al fin se van hacia la puerta. Salen los dos y cuento hasta veinte antes de levantarme de la cama. Es frecuente que Adrián se haya olvidado de meter algo siempre imprescindible en su mochila (en eso, me temo, ha salido a su madre: tan bipolar y despistado como ella...). La agenda. Un libro. Un cuaderno. O cualquiera de esas exigencias caprichosas con las que sus profesores parecen empeñados en torturar su espalda... Pero hoy no. La llave no vuelve a girar en la puerta de entrada, así que ya puedo levantarme y diseñar mi plan.

Lo cierto es que, dicho así, lo de *plan* me suena demasiado grande. Incluso creo que me asfixia un poco. No, mejor ser más humilde. Empezar desde cero. Lo primordial ahora es reconstruir los hechos para poder posicionarme ante ellos. A ver, repasemos los atenuantes. Y las circunstancias.

Una curva sin visibilidad.

La lluvia.

(Persistente, es importante no olvidar que la lluvia era muy persistente).

Alguien que cruza corriendo.

Y sin mirar.

(No se puede atravesar una curva, en medio de la nada, lloviendo y sin mirar).

No había paso de cebra.

No había semáforo.

No había luz.

No había nada en aquel tramo de carretera.

¿Zona? Justo a la salida de uno de los barrios residenciales más exclusivos de la periferia.

Esto último no es bueno. La víctima podría ser de una familia bien. Incluso de una familia de abogados. Sí, eso sería muchísimo peor. Una familia con medios y con ganas de poner mi mundo patas arriba. Una familia cegada por el odio e incapaz de entender que aquí la única víctima real soy yo.

No pierdas la perspectiva, Leo. Vamos, céntrate... Necesitas tomar decisiones urgentes antes de que sea demasiado tarde. Antes de que también Gaby empiece a sospechar. ¿Habrá notado algo? Reconozco que anoche estuve raro. Y eso que lo de ocultar nunca se me ha dado mal, que algo de entrenamiento he adquirido en todos estos años. Pero hasta ahora lo que escondía era siempre una minucia. Una tontería de esas que es mejor no contar para no herir a la otra persona. Una estupidez que no incluía ningún crimen... Que no, joder, que no. La fatalidad no puede ser un crimen. Ni la mala suerte. Y eso es lo que tuvo quien quiera que se cruzó conmigo ayer.

¿Un hombre? ¿Una mujer? No sé si eso es normal (tampoco sé qué se entiende por normal en un caso así, la verdad), pero no puedo dejar de pensar en ello. Tal vez en el periódico... No, de momento parece que no hay nada. En el buscador de noticias de Google, desde luego, no encuentro ni una sola alusión a la curva de anoche. Eso me da ventaja. No sé de cuánto tiempo, pero sí del suficiente como para intentar manejar la situación.

¡El coche! Claro, el coche. Eso es lo primero que tienes que arreglar. No puedes salir a la calle con esa abolladura. Se nota demasiado de qué se trata. Seguro que tienes mala suerte y alguien anota tu matrícula. O un policía urbano te detiene para un control rutinario y, justo en ese instante, se fija en las manchas de sangre que debe de haber en el capó. Les bastará un vistazo para averiguar de qué se trata... ¿Lo ves? Ya tenemos un plan. Hay que eliminar cualquier rastro de la noche anterior: borrar las huellas. Sí, voy a borrar todas mis huellas hasta que este lunes desaparezca por completo.

Lo bueno es que ahora ya sé qué debo hacer. Lo malo, que no tengo ni puta idea del cómo.

3

—Puedes hacerlo, Jorge.

—¿Empezar de cero? Gaby, por favor. No seas ingenua. Nadie empieza de cero.

—Pues construye algo nuevo.

—No sabría cómo.

—Te sobra lucidez.

—Me sobra autocompasión.

—¿Solo a ti?

—Nos gusta demasiado lamernos las heridas, cielo.

Desde que Hugo rompió con él, Jorge parece otro. Y eso que las cosas no les iban muy allá en los últimos tiempos, pero está claro que él prefería la mediocridad acompañada a la soledad en la que está inmerso ahora. Yo, sinceramente, no sé qué decirle, porque nunca se me ha dado bien opinar sobre la vida ajena y, en el fondo, cuando le llamo, no es para aconsejarle, sino para que sea él quien me aconseje a mí. Hoy, por ejemplo, solo le he llamado para saber qué opina de mi fuga y de mi plan de promiscuidad esporádica, como si su aprobación a mi viaje fantasma me hiciese sentir que todo esto es menos absurdo de lo que, de pronto, empieza a parecerme... Pero él acaba de recibir un sms de Hugo y solo tiene ganas de volver a contarme la misma historia que me lleva contando desde que terminaron. Y no, no es que me importe, claro que no, pero es que hoy, precisamente hoy, yo necesitaba hablar un poco más de mí.

—He intentado que quede conmigo. Para hablar, Gaby... Pero dice que ahora, con los recortes, están sobrecargados de trabajo en la comisaría y que no tiene tiempo... No sé si será cierto, pero lo que sí sé es que lleva meses obsesionado con destacar. Con que lo asciendan... No tengo ni idea de dónde le ha venido tanta ambición, pero ya en nuestro último año solo tenía tiempo para su trabajo. Y para follar con otros, claro.

—Es normal que quiera mejorar. Todos queremos eso.

—Me gustaba más cuando no se creía Harry el Sucio.

—¿Y por qué tú no empiezas a...?

—¿Olvidar?

—A conocer gente.

—Acostarme con gente, puede. Pero conocer gente, Gaby, eso sí que no. Ahora mismo no me apetece conocer a nadie. Así de fácil.

—Jorge.

—¿Sí?

—Te tengo que dejar.

—¿Mucho lío?

Me da pena mentirle también a él, pero no me he escapado hasta este hotel para ejercer la psicología telefónica y está claro que esta mañana, de Jorge, no voy a obtener nada que no sea eso.

—Mucho, sí. Cada vez somos menos, así que no doy abasto.

—Supongo. A las discográficas la crisis os ha dado de lleno.

—Ni te imaginas.

—Sí, sí que me lo imagino. Yo también llevo produciendo mierdas desde hace meses... En el teatro andamos igual.

—Pero al menos la productora es tuya.

—Mía y de José Luis, que si no fuera por su sentido común ya habríamos quebrado los dos hace tiempo.

—Luego te mando un e-mail.

—No te agobies. Estoy en modo diva coñazo. Voy a ver si me animo y me pongo en modo *I will survive*.

—Te pega más.

—Cómo me conoces.

—Un beso, guapo. Te escribo luego.

—Chao.

Es un gran amigo... pero muy intenso. Supongo que forma parte de su encanto, pero de vez en cuando no estaría mal que dejara a un lado tanta trascendencia y se limitara a dejarme hablar. Y eso que, si soy sincera, es quizá la única de mis amistades donde me siento un poco protagonista, porque con las demás hay una especie de competición extraña que nunca he acabado de entender. A Inma siempre le ha jodido que yo haya llegado más arriba en lo profesional. A Sandra le toca la fibra el tema de la maternidad, porque es uno de los huecos que, antes de divorciarse de Marcos, nunca consiguió satisfacer. Y a Lorena, que es quizá con la que mejor me entiendo de ese grupo, le parece que mi empeño por hacer funcionar mi vida de pareja, en lugar de lanzarme de una vez a las turbulentas aguas de la promiscuidad, es un intento inútil y ridículo. Por eso se puso tan pesada con lo de internet —que si tienes que probarlo, que si es muy cómodo para mujeres como tú (¿cómo coño son las mujeres como yo?), que si no pierdes nada— hasta que yo acabé creándome un par de perfiles ambiguos con nick cinéfilo y fotos poco menos que impenetrables. Y todo para seguir igual que antes, sin atreverme a ir nunca más allá del chat y de la jodida carpeta en la que colecciono imágenes, porque a mí, al final, me puede la inseguridad esta de los cuarenta y tantos —joder, cuarenta y muchos—, y acabo por limitarme a fantasear con hombres a los que solo conozco en su versión jpg.

Hay más amigas, claro, pero todas tenemos demasiado que contarnos cuando nos vemos como para que una sola pueda alzarse con el suficiente protagonismo. Por no hablar de los días en los que nos citamos para poder charlar, animadamente, con nuestros propios móviles, que también los hay.

Supongo que por eso soy amiga de Jorge, porque aunque a veces me saque de quicio con su intensidad, también es el único que no se molesta en competir conmigo, ni me da consejos paternalistas, ni me juzga con la condescendencia con la que, por ejemplo, me condena Lorena, que sí, que me cae genial, que es una tía estupenda, pero que quiere que yo tome decisiones que, sinceramente, no sé si estoy preparada para tomar.

Lo de hoy, por ejemplo, sé que no puedo contárselo a ninguna. A Jorge sí, claro, pero en otro momento. Ahora mismo no me parecía oportuno interrumpir su «monólogo *broken heart*» —qué dramático puede llegar a ser— con mi aventura erótica. Pero a mis amigas... Entre las que harán juicios morales —Sandra—, las que me dirán que esto ellas ya lo han vivido y, por supuesto, que lo han hecho muchas más veces y mucho mejor —Inma— y las que creerán que es una medida insuficiente —Lorena—, solo conseguirán amargarme y hacerme sentir, si cabe, aún menos comprendida de lo que, últimamente, ya me siento.

—¿Desea algo más?

—¿Perdón?

—¿Quiere alguna otra cosa?

Las once. Llevo sentada en el bar del hotel desde las diez. Sí, digamos que un solo café en sesenta minutos es una consumición algo raquítica. El camarero espera una respuesta mientras recoge mi taza vacía. ¿Y si le digo qué quiero de verdad? Total, es un chico mono (¿veintitrés, veinticuatro?) y a lo mejor está interesado en una mujer sensual y experimentada como yo.

—Otro café.

—Enseguida.

¿Y si le digo algo ingenioso e inteligente? ¿Algo para que vuelva a la mesa y me mire un poco más?

—Con sacarina, por favor.

Puro ingenio lo tuyo, Gaby. Cómo va a resistirse a seducirte tras tan atrevida y amena intervención.

—Ahora mismo.

Me ratifico en que es más fácil ligar a través del ordenador —los complejos no se ven tan rápido a este lado de la pantalla—, así que me despido de la opción del camarero y cambio su sonrisa —real y física— por el emoticono —frío e icónico— de mi pantalla.

ILSA_MAD: Hola.

MADRID43:   Q buscas?

ILSA_MAD: Odio esa pregunta.

MADRID43:   Cual quieres que te haga?

Vaya, no pone tildes.

ILSA_MAD: No puedes ser creativo?

MADRID43: Esto no va de eso.

ILSA_MAD: En tu caso, está claro que no.

Pues empezamos bien. ¿Seguro que al camarero ese no le interesaría hacérselo conmigo? Aún tengo todo el día por delante, pero no sé si mi seguridad resistirá tanto... Y si me he venido hasta este hotel es para compartir la siesta o, por qué no, para acabar la noche junto a alguien. Seguro que a Jorge no le parece mala idea que haya querido combatir el estrés con algo de dispersión mental... y física. A fin de cuentas, no creo que me hubiera lanzado si él no me hubiese desafiado con su maldita apuesta... Con lo que no contaba es con que eso de encontrar candidatos para dispersarse no es tan inmediato. Al menos, si no se rebaja el nivel de expectativas y, en cierto modo, estoy harta de bajar ese nivel en todos los frentes. El nivel de expectativas con las amigas. Con la pareja. Con mi trabajo. Me paso la vida regateando conmigo misma... ¿También en una noche así tengo que contentarme con menos de lo que espero conseguir?

Para colmo, lo del hotel no me parece, de repente, tan buena idea. Elegí el Puerta América porque está lejos de las zonas que frecuenta Leo, porque sé que él lo odia —aún recuerdo cómo me dio la noche en cierta ocasión que le propuse cenar aquí—, porque pensé que no habría posibilidad de que me encontrara con ningún conocido común y porque, además, me apetecía que, ya puestos a cometer una pequeña locura, fuera en un lugar de diseño. No soporto lo cutre —ni en la gente, ni en los lugares: herencia familiar, supongo—, así que la única forma de lanzarme por la pendiente de la temeridad es asegurándome un marco que no me resulte incómodo. Ni sórdido.

Pero lo que no imaginaba es que, justo hoy, el Puerta América albergaría la concentración de no sé qué equipo de fútbol. Ni que estaría lleno de fotógrafos, periodistas, curiosos y adolescentes fanáticas (¿no deberían estar en clase?) de las estupendas piernas de los jugadores que se alojan aquí. Por si acaso, me he refugiado en una mesa al fondo del bar, dentro de una especie de iglú (los lugares de diseño tienen estas cosas...), un sitio medio escondido en el que aspiro a no aparecer mañana en una fotografía a todo color en la portada del *Marca* o del *As*.... Con lo fácil que es mentirse a uno mismo y qué jodido resulta —hablando en términos de logística y eficacia pragmática— mentir a los demás.

Stromboli: ;-)

Vaya, otra sonrisa emoticónica en la pantalla. A ver qué nos encontramos esta vez.

Ilsa_Mad: Muy cinéfilo.

Stromboli: El que?

Mierda. Otro que tampoco pone tildes.

Ilsa_Mad: Tu nombre.

Stromboli: Me llamo Mario.

Simple. Encima este es un simple.

Ilsa_Mad: No me refería a

Pausa. ¿De veras merece la pena seguir escribiendo?

Stromboli: ???

Ya ni siquiera verbaliza. El pobre debe de haber agotado todas sus reservas intelectuales en el *nick*. La duda es si lo habrá sacado de Google Maps o si cada día fusilará un título de la rejilla de TCM. Quién sabe.

Ilsa_Mad: Olvídalo.

Segunda pantalla. Segundo adiós... No está mal. Cinco minutos. Dos internautas. Y cero opciones. Las opciones no son nunca tantas como deberían... Ni dentro ni fuera de la pantalla, porque llevo más de una hora sentada en este absurdo iglú haciéndome la interesante y aguantando el dolor de espalda que la postura interesante comporta. Pero salvo el camarero nadie más parece haberse dado cuenta. Y es que, como intenté hacerle entender a Jorge en nuestra última comida juntos, que te vean a mi edad no es tan fácil. Al menos, a mí no me lo resulta en absoluto.

—Soy invisible, Jorge.

—Pues tendrás que aprender a hacerte visible otra vez, ¿no?

—¿Y eso cómo lo hago?

—Ojalá lo supiera... Pero creo que estoy en el mismo limbo que tú. No recuerdo cuándo fue la última vez que me miró un tío... Debe de ir incluido en el pack de los cincuenta, los cumples y dejas de existir. Te sacan del catálogo.

—Pues yo me niego a no volver a entrar.

—Cuando averigües cómo, Gaby, avísame. Estoy deseando ponerme de nuevo a la venta.

—Jorge, ¿tu labor como amigo no debería ser disuadirme?

—¿Por qué?

—Porque seguro que es una mala idea.

—La fidelidad es una mala idea. Pero estamos tan habituados a ella que ni nos damos cuenta.

—No seas cínico.

—No pretendía serlo, Gaby. Tú dices que...

—Yo digo muchas idioteces. No estoy en una gran época. En las malas épocas mi nivel de estupidez aumenta.

—Al revés, Gaby, te hace mucho más lúcida.

—¿Tú crees?

—A todos nos pasa.

—Ya, pero a ti, por ejemplo...

—¿Sí?

—Olvídalo.

—¿A mí qué? Dilo, no pasa nada.

—A ti eso te ha acabado afectando. No me vas a negar que si Hugo no hubiera sido tan poco fiel, tú no...

—Lo de Hugo no tiene nada que ver con esto.

—¿Ah, no?

—Lo de Hugo era adicción. Lo tuyo solo son ganas de aire fresco. A lo mejor es lo que necesitas dejar de ser invisible, como tú misma dices, para luego pararte a pensar de una vez.

—¿Y cómo sé que no será adictivo?

—Créeme: la logística de la infidelidad agota tanto que la adicción resulta complicada.

—Ahora mismo, creo que sí puedo vencer esa pereza.

—Pues prueba en tu entorno. Olvídate de internet. Las cazas *on line* acaban siempre en decepción. Nada es nunca tan morboso como parece.

—Hay muchos que cazar.

—¿Cantidad es calidad?

—No me líes, Jorge.

—Pero en tu trabajo también conoces a mucha gente. Y muy diversa. Cantantes, agentes, periodistas... Lo nuestro son los contactos. Ahora que la parte cultural no le importa a nadie una mierda, al menos nos queda seguir haciendo de relaciones públicas.

—¿La parte cultural? Hace siglos que no lanzamos un cantante que no me produzca náuseas.

—¿Lo ves? Ya nos mentimos durante suficientes horas en nuestro trabajo. No creo que fuera de él necesitemos una dosis de autoengaño más.

—Pero ¿tú tendrías un *affaire* con alguien del trabajo? ¿Con alguno de los actores que te babean por un papel, por ejemplo?

—Pues ahora mismo...

—No te creo.

—Ahora mismo, creo que podría tener un *affaire* casi con cualquiera.

—¿Y qué tiene de malo buscárselo *on line?* El mundo 2.0 es muy higiénico.

—Eso es lo que tú crees... Pero prueba a quedar con alguno fuera de la pantalla.

—¿Es un desafío, Jorge?

—Si lo quieres llamar así...

—Pide la cuenta, anda.

—¿Aceptas el reto, Gaby?

—¿Que si me atrevo? Claro, pues claro que me atrevo.

—Estupendo. Tienes una semana. Si pierdes, me debes una cena.

—Acepto. Ya tenemos tema para la próxima comida, ¿no?

—Por tu parte, sí. A ver si yo consigo algo morboso que contarte por la mía...

MaduroConClase (uf, qué pereza), Conan (¿quién coño está tan chalado como para llamarse Conan?), Niñato (sí, justo lo que me hacía a mí falta ahora), Madrid32 (demasiado joven), Madrid65 (demasiado maduro), LoboSolitario (¿Herman Hesse en un chat?), Lobito34 (la versión en modo Grimm del anterior), Karlos (los nombres tuneados me enervan), Argüelles...

Vale, lo de Argüelles resulta anodino, pero es claro —por lo menos ya sé dónde está— y me sirve como primera opción. No me gustaría acabar el día sin nada que contarle a Jorge. Me fastidia la idea de tener que admitir que, una vez más, llevaba razón cuando me advertía de que, seguramente, no iba a encontrar por aquí nada de lo que ando buscando (y que, por cierto, cuanto más tiempo paso en este hotel, menos claro tengo de qué se trata).

ARGÜELLES: Foto o perfil?

ILSA_MAD: Ninguna de las dos.

ARGÜELLES: Cam?

ILSA_MAD: Si te la ganas, sí.

ARGÜELLES: Te va ponerlo difícil?

ILSA_MAD: Un poco...

ARGÜELLES: Edad?

Ahora no, joder. Ahora todavía no... La pregunta de la edad no se puede lanzar tan deprisa, no antes de que me dé tiempo a...

ILSA_MAD: Tienes muchas preguntas.

ARGÜELLES: Tú tienes respuestas?

Acerco el índice al maldito cuatro. Estoy a punto de contestar, de decir la verdad. Así, sin redondeos pueriles. Cuarenta y ocho. Pero me da miedo que la cifra me vuelva a ese maldito estado de invisibilidad del que no encuentro la forma de salir.

ANTÍNOO: Te gusta el cine?

¿Antínoo? ¿Y este de dónde se ha escapado?

ILSA_MAD: Demasiado.

ANTÍNOO: Nunca es demasiado.

Sí, el cine siempre lo es. Y la literatura. Y las malditas series. Y todo lo que hace que la vida parezca diferente siempre acaba resultando demasiado. Porque puede que, por culpa de tanta ficción, acabes como yo esta mañana, creyéndote la mismísima Betty Draper y presintiendo que vas a hacer un ridículo descomunal.

ANTÍNOO: Te asusta la vehemencia?

Vaya, uno que —por lo menos— coloca bien las haches. Si también es bueno con las tildes, puede que sí se merezca una oportunidad.

ILSA_MAD: Según cuándo.

ANTÍNOO: Ahora, por ejemplo?

ILSA_MAD: Ahora no es necesaria. Demasiado pronto.

ANTÍNOO: Demasiados demasiado, no?

ILSA_MAD: Me gusta ir a mi ritmo.

ANTÍNOO: Yo me adapto fácilmente a la velocidad
                     ajena.

Coloca bien las tildes. Ahora sí que me ha ganado del todo.

ILSA_MAD: En serio?

ANTÍNOO: Ponme a prueba.

No me gusta ni su nick (pedante) ni su tono (suficiente), pero, de momento, es el único que ha conseguido no aburrirme. ¿Le invito a venir?

ILSA_MAD: No me has preguntado aún nada sobre mí.

ANTÍNOO: Qué quieres contarme?

ILSA_MAD: Puedo mentirte?

ANTÍNOO: Puedes, pero después tendrías que decirme la verdad. Se pierde mucho tiempo.

ILSA_MAD: Me mandas alguna foto tuya?

No es una gran idea. Intuyo que con un simple archivo jpg puedo cargarme el morbo antes de tiempo, pero eso de quedar con alguien a quien no pongo rostro excede, con mucho, los límites que estoy dispuesta a atravesar en esta noche.

ANTÍNOO: No prefieres que me describa antes? Se me da bien excitar la imaginación ajena...

ILSA_MAD: Imaginar siempre acaba siendo muy decepcionante.

ANTÍNOO: Según lo que imagines.

ILSA_MAD: Puedo verte o no?

Acepto la imagen que acaba de enviarme y, como me temía, me encuentro con un tipo común. Anodino. Un hombre, en sus cuarenta y muchos o sus cincuenta y pocos, en el que no me fijaría si coincidiésemos en el metro. O en un autobús. O en este maldito bar donde no me ha mirado nadie. Bueno, sí, el camarero: me ha mirado, mucho y muy mal, cuando ha entrado un grupo de enloquecidas jóvenes con sus respectivos futbolistas buscando una mesa —o un iglú— donde sentarse.

ANTÍNOO: Y bien?

Indiferencia.

Un momento: ¿escribo eso? ¿Que de puro anodino casi me resulta indiferente? No creo que se deba decir algo así de sincero en un chat. Ni fuera de él... No sé, a lo mejor si lo hago, luego me arrepiento. Quizá en persona sea mejor. Yo tampoco soy especialmente fotogénica.

ILSA_MAD: Te paso una mía.

Elijo una en la que apenas se me reconoce: gafas de sol enormes, gran sombrero blanco, escorzo forzadísimo, silueta en contraluz..., sería imposible identificarme con semejante imagen. Él, que no debe de ser muy exigente con el tema fotográfico, me responde con un emoticono con dos ojos en forma de corazones —¿a qué coño viene esta cursilada?— y yo, tras mirar el reloj —casi las doce— y valorar mis opciones, me pregunto qué paso dar ahora... Casi mejor que lo dé él, ¿no?

ANTÍNOO: Bonita foto.
ILSA_MAD: Un marco incomparable
ANTÍNOO: Odio esa frase :-P
ILSA_MAD: Y yo.
ANTÍNOO: Se te ve regular...
ILSA_MAD: Se me intuye bien.
ANTÍNOO: Dónde?
ILSA_MAD: En Capri.
ANTÍNOO: Este verano?
ILSA_MAD: No. Es anterior.

De hace unos años... Con Jorge, por supuesto. Él tenía una buena excusa —debía cerrar un acuerdo en Nápoles con no sé qué compañía teatral— y yo, unas ganas enormes de escaparme unos días a cualquier sitio. A los dos nos vino bien subirnos en aquel barco y alojarnos durante un par de días en ese hotel con nombre de diosa romana... El efecto sedante de Capri se me pasó pronto, pero eso es lo malo de los refugios: en cuanto los abandonas, tu vida te reencuentra en el mismo punto en que la dejaste.

ANTÍNOO: Entonces tu foto no es reciente?

Mierda. Ya he hablado de más. Claro que no lo es.

ILSA_MAD: De hace solo unos años. Tres o cuatro, no

> más. Ya me gustaría poder fugarme allí
> más a menudo.

ANTÍNOO: Y otra foto más actual...?

ILSA_MAD: No tengo.

¿No tengo? Ya estamos otra vez con la inseguridad.

ANTÍNOO: Hazte una.

ILSA_MAD: No puedo.

ANTÍNOO: No puedes?

ILSA_MAD: Estoy en un bar.

En un iglú, concretamente.

ANTÍNOO: Cuál?

ILSA_MAD: El de un hotel.

ANTÍNOO: Tengo q adivinarlo?

¿Adivinarlo? Este quiere venir.

ILSA_MAD: Prueba.

ANTÍNOO: Podría escaparme del trabajo...

ILSA_MAD: Podrías?

ANTÍNOO: Soy autónomo.

ILSA_MAD: Ah sí?

ANTÍNOO: Fotógrafo.

ILSA_MAD: Qué oportuno, no?

ANTÍNOO: Tú dime dónde estás y yo te ayudo a actua-
            lizar tu perfil. Soy bueno haciendo fotos.

ILSA_MAD: No suena mal.

ANTÍNOO: Un café.

¿Otro más? Van a tener que ingresarme por sobredosis.

ILSA_MAD: Ahora?

ANTÍNOO: Te va mal?

ILSA_MAD: No.

ANTÍNOO: Dime dónde.

Surgió. Sí, ya es obvio. Surgió... Esta es mi oportunidad de ganarle la apuesta a Jorge. De mandar a la mierda
la suficiencia de Lorena. De probar a ser visible de una
vez. Y, sobre todo, de hacer que este falso viaje a Barcelona sí merezca la pena.

ILSA_MAD: En el Puerta América.

ANTÍNOO: Dame veinte minutos. A las doce, como muy tarde, estoy allí.

ILSA_MAD: Te espero en el hall.

Antínoo (¿de dónde se saca la gente los nicks?) me responde con otro emoticono absurdo cuyo significado, esta vez, ni siquiera soy capaz de descifrar. Por un segundo, tengo la tentación de cancelarlo todo, pero opto —siempre las malditas opciones...— por controlarme y me dirijo al *hall* del hotel con la única intención de comprobar, desde algún ángulo discreto, si ese hombre, ni excesivamente atractivo, ni excesivamente guapo, ni excesivamente magnético, puede tener alguna posibilidad de compartir hoy cama y cuarto de diseño conmigo.

4

¿Qué hago ahora?

Vamos, Leo, piensa. Piensa, Leo, por favor. Te ha costado casi dos horas abandonar el ordenador y venir al maldito garaje. Dos horas buscando obsesivamente algún titular sobre lo que pasó anoche. Nada. De momento, no hay nada... Venga, no puedes permitirte perder más tiempo. Hoy no. Hoy tienes que elaborar el siguiente paso de tu plan.

El coche, como era previsible, tiene restos de sangre. No muchos, pero es urgente deshacerse de ellos. En el garaje, al menos, no está el Megane de la plaza de al lado —se habrá ido a trabajar, supongo—, así que puedo ponerme manos a la obra con cierta libertad. Afortunadamente, a pesar de los nervios, anoche me aseguré de aparcar de modo que el capó quedara frente a la pared. Nadie que haya pasado por aquí ha podido fijarse en las manchas. Ni en el golpe en el parachoques. Al menos, no en tan poco tiempo. Bien, eso está bien. ¿No ves, Leo? No todo es tan terrible. Claro que ¿y si en estos minutos lo ha publicado ya algún medio? Alguien tiene que haber denunciado los hechos...

Ahora no es momento de conjeturas: lo primordial es deshacerse de la maldita mancha. No puedo salir a la calle con este rastro de sangre en la carrocería. Es como ir gritando a todo el mundo lo que acabo de hacer. Hay que dejarlo exactamente igual que estaba: perfecto.

Y tras pelearme con la sangre, consigo que no quede ni rastro, aunque, debido a mi energético afán de limpieza, tampoco queda mucho de la pintura. Por no hablar de los arañazos con los que he conseguido que lo que no era más que una mínima mancha ahora se vea como un auténtico desastre. Cojonudo, Leo, realmente cojonudo.

No acabo de entender cómo es posible que algo tan sencillo me salga mal, pero me calmo y me subo al coche para llevarlo, cuanto antes, al taller de mi hermano. No puedo dar parte al seguro y empezar a inventar más historias de las que ya me he inventado hasta ahora. Lo único que tengo que hacer es ser amable con Manu y convencerle de que me haga el favor de arreglarme el coche. Por un lado, lo veo algo jodido, porque es muy rencoroso y puede que aún no me haya perdonado que le negara el crédito que vino a pedirme hace unos meses. Pero, por otro, también tiene que reconocer que no he abusado de él últimamente, así que no debería cobrarme gran cosa... Es más, si tuviera un poco de sentido de la solidaridad, me lo haría gratis.

Mi hermano, entre otros defectos, es un ser asquerosamente racional. Una de esas personas cerebrales que todo lo analizan, lo sopesan y, por si fuera poco, lo registran. Un coñazo de persona, la verdad, de esas a las que prefieres no contarles nada porque sabes que, si es bueno, te lo destrozarán. Y si es malo, te lo convertirán en poco menos que deprimente. Así que no puedo llegar con este golpe y pretender que se crea una historia ridícula para justificarlo. No, tengo que conseguir que el golpe sea consecuencia de una causa real, porque, por raro que parezca, solo con él me falla la seguridad que me sobra cuando he de mentir al resto del mundo. Gaby incluida.

Pues nada, lo mejor será darse un golpe *casual* contra una columna que aparezca *casualmente* en mi camino hacia la salida del párking. No es que esas casualidades a mí me ocurran mucho, pero desde anoche tengo claro que todo, incluso lo peor, entra siempre dentro de lo posible. Elijo una columna cualquiera —es importante mantener, en la medida de lo posible, el ámbito de la casualidad— y me empotro contra ella con un golpe que yo calculaba suave y que a mi coche le ha parecido, por lo que se ve, una cabronada. He pasado de una abolladura a un faro roto y un parachoques medio destrozado. Bueno, no es lo ideal —¿cómo coño va a ser lo ideal haber matado a alguien?—, pero al menos me permitirá contarle a Manu una bonita historia sobre cómo me he levantado medio dormido —y estresado: esa parte, qué duda cabe, es verdad— y me he llevado por delante una columna traidora —y casual, muy casual— que no he visto venir. No, lo de que no la vi venir mejor lo tacho, porque las columnas, hasta donde yo sé, no se mueven, ni siquiera las columnas casuales, y parece que estoy hablando de alguien que sale corriendo —¡en medio de la nada, joder!— y se abalanza —bajo la lluvia, esa maldita lluvia— contra mi coche.

Está claro que mi plan tiene alguna que otra imperfección práctica, pero no deja de ser una forma de alejarme de lo sucedido y, sobre todo, de ponerme a salvo a mí y a mi familia. No voy a joderle la vida a Gaby, ni a Adrián, porque un loco, o una loca, se tirara a la carretera en plena noche. Y bajo la lluvia, no hay que olvidar que era bajo la lluvia. Bastantes equilibrios hacemos ya para soportarnos los tres en casa como para que llegue yo con una culpa que no me merezco. O peor aún, con una denuncia. O con una multa que nos arruine y nos quite hasta el aburguesamiento y la seguridad económica que, si soy honesto, creo que es de lo poco que nos mantiene unidos ahora mismo.

De camino al taller —no sé si debería llamar a Manu antes: lo mismo, si lo hago, se inventa alguna excusa y no me atiende—, enciendo la radio y compruebo que he hecho bien actuando tan deprisa. Al final del boletín de noticias locales de las doce —tras no sé cuántos sucesos morbosos y manifestaciones simultáneas en Sol: qué ciudad más ajetreada, de verdad— mencionan que anoche, en una carretera a las afueras de un barrio residencial, una joven de quince años fue arrollada por un conductor que se dio a la fuga. La joven, cuyo nombre omiten —no sé por qué, pero siento que necesito conocerlo—, sigue en coma y, de momento —eso afirma la locutora—, no parece haber ni un solo indicio que apunte a la identidad del presunto homicida.

¿Homicida? Ni siquiera el adjetivo *presunto* impide que sienta náuseas. Paro el coche. Bajo la ventanilla. Intento aspirar algo de oxígeno, pero no sé si será por culpa de la mierda de la contaminación —o por culpa de la mierda de mi conciencia—, no resulta suficiente y necesito bajarme un segundo y dar unas cuantas arcadas en la acera.

¿Me localizarán? ¿Debería entregarme? ¿Qué coño hacía una niña de quince años —de la edad de mi hijo— por allí a esas horas? No dejo de escuchar la palabra homicida. Y de ver ese cuerpo que corre, que se lanza, que cae. Y de sentir, ahora sí, que la sangre que he limpiado del puto capó está aún sobre mis manos. Que estará siempre ahí. Que tiene quince años —joder, como Adrián— y que, además, no solo voy a torturarme yo en plan Macbeth, sino que alguien —la policía, sus padres o incluso mi mujer, quién sabe— acabará descubriéndolo todo. Y atormentándome.

Vuelvo a entrar en el coche y, aunque no tengo ni idea de cómo voy a hacer frente a todo esto, decido seguir con la próxima parte de mi plan. Eso es. Lo mejor es no desviarse del programa inicial. El pánico es un mal consejero... Le pediré a Manuel que arregle el capó y que repase la pintura. Le contaré que he tenido un percance tonto en una maniobra y lo achacaré todo a mis prisas, o a mi despiste, o a cualquier otro rasgo de mi carácter que haga creíble lo que me ha pasado. Si algo he aprendido en estos meses de tantas mentiras —no, Gaby, esta no es la primera...—, es que para que un engaño sea creíble ha de inspirarse, en parte, en un hecho o en un dato real. Con eso —y con la ingenuidad de quienes no me creerían capaz de algo como lo que ¿hice? ayer— ya es más que suficiente.

5

Doce y diez. Y ni rastro de Antínoo.

¿Le tendría que haber dado mi móvil? Así podía haberme mandado un sms o un whatsapp en caso de que se fuera a retrasar. O si es que, directamente, decide no venir. A lo mejor es eso. A lo mejor es que como no ha visto una foto reciente se ha echado para atrás. O a lo mejor simplemente le ha surgido algo en su trabajo que se lo impide (¿lo de que es fotógrafo iría en serio?). O a lo mejor Antínoo solo estaba jugando y yo me voy a quedar aquí, en un rincón del *hall*, esperando como una idiota a que aparezca.

Intento estar tranquila. Me repito que este es un buen lugar para que ocurra algo así. Que está lo suficientemente lejos de los sitios que Leo y yo frecuentamos como para que alguien pueda reconocerme. Pero cuanto más me digo que no tengo de qué preocuparme, más interminables me parecen estos minutos de espera. Y más gente entra y sale de este maldito hotel. ¿Habrá alguien que me conozca entre ellos? ¿Y si apareciera aquí alguien relacionado con mi discográfica? Sé que Alejo reaccionaría fatal si se enterase de que el cuento sobre mi madre era mentira. Mierda, y Antínoo que no llega... ¿No tendría que haberle dicho que subiera directamente a mi habitación?

Doce y cuarto. ¿Y si me echo para atrás? Esa también es una opción razonable. Es más, se trata casi de la única opción si pienso en su fotografía. Pero no me acaba de gustar la idea de hacerlo venir hasta mi hotel para, después, no presentarme. Eso es una putada. Y no, no va conmigo. Ese tipo de cosas jamás han ido conmigo.

«Qué tal en Barna?».

Se me había olvidado. Por un minuto no me he dado cuenta de que estoy en Barna y de que, seguramente, sería bueno que hiciese algo de teatro para justificar y defender mi coartada. ¿Contesto a Leo con otro whatsapp o le llamo un segundo? No, mejor el whatsapp. Lo último que necesito es que me note la voz algo más acelerada, algo más excitada —porque, a ratos, creo que sí que lo estoy—de lo normal.

«Agotada. De reunión en reunión. Y tu mañana, cómo va? Todo bien?».

«Sí, algo mejor del estómago».

Mierda. Tampoco me acordaba de que he dejado un marido convaleciente en casa. Por si no tenía ya bastantes dudas y fantasmas sentados junto a mí y haciendo tiempo mientras llega Antínoo, ahora Leo se encarga de sumar, nada sutilmente, otro más.

«Me alegra que estés mejor».

«Seguro?».

«Y eso a qué viene?».

«Me ha encantado tu mensaje nada más aterrizar preguntándome cómo me encontraba...».

«He estado ocupada».

«Y yo».

«Tú estabas en casa».

«Enfermo».

«Solo un dolor de estómago».

«Solo? Vaya, no te preocupes tanto por mí, Gaby. Me abrumas».

«Mira que te gusta quejarte».

«Mira que te gusta no hacerme caso cuando me quejo».

«Venga, Leo, no te enfades».

«Vuelves esta noche o mañana?».

«Mañana. Ya te lo había dicho».

«Ok».

«Me llaman, Leo. Bs».

«Bs».

No sé qué es lo que no funciona. Y tampoco tengo demasiado tiempo para averiguarlo. ¿Cómo coño voy a plantearme mi vida desde todos los frentes que, ahora mismo, no tengo muy claro si funcionan? Como profesional. Como pareja. Como madre. Como mujer, así, a secas. Cuánta etiqueta, joder, cuánta etiqueta encima y cuánto tiempo exige desarrollar —aunque sea de manera cutre e insuficiente— cada una de ellas.

No sé si quiero pararme a pensar en todo lo que no va bien. En todo lo que debería cambiar. O incluso eliminar. Y no sé si quiero porque apenas tengo tiempo suficiente para hacerlo. Además, estoy segura de que es solo una racha, un mal momento. El estrés de haber sumado tantas cosas —los problemas en nuestros trabajos, las cuentas que últimamente no acaban de salir tan holgadas como antes, la tensión que provoca la adolescencia de un niño que solía ser encantador y ahora no hay quien entienda—, no sé, no quiero mandar a la mierda un matrimonio de veinte años sin estar segura de que esa es la pieza que realmente no funciona en mi vida. No puedo tirarlo todo por la borda sin haber comprobado que es eso, precisamente eso, lo que está fallando. Y es imposible que llegue a comprobarlo sin tiempo para investigar, para preguntarme un poco más por mí misma, por cómo demonios he llegado hasta aquí, hasta esta vorágine en la que ya no me siento capaz de reconocerme.

Por eso quiero convencerme de que mi plan de hoy es bueno. Una forma de permitirme una vía de escape —hedonista, sí, ¿qué otras vías de escape hay?— y regalarme una experiencia que me permita retomar la rutina con menos angustia. O, en caso de que la angustia siga siendo la misma, con un poco menos de resignación.

Doce y veinte. ¿Un atasco? ¿Un problema laboral? ¿Un plantón? Casi empiezo a preferir lo último. Sí, cuanto más pienso en la foto, más ganas me dan de encerrarme en la habitación, alquilar alguna película en el canal de pago y no volver a salir del cuarto hasta mañana. Quién sabe, hasta podría intentar seducir a alguien del personal del hotel. En las series americanas, esas cosas suceden. E incluso me excito un poco con la idea de ligarme a alguno de los jugadores del equipo de fútbol que se aloja aquí a la espera de cierto torneo deportivo de primera magnitud. De primera magnitud, a mí, me parecen sus piernas. ¿Cómo será estar con uno de ellos? Si no fuera porque les doblo la edad —¿por qué eso me detiene siempre con tanta fuerza?—, volvería al bar e intentaría hacer algo... No, lo peor es que sé que no intentaría nada. Nada en absoluto. Bastante complejo de mujer invisible tengo ya como para seguir sumando experiencias frustradas.

Doce y media. Treinta minutos después de la hora fijada, Antínoo —al fin— entra en el hotel. Es tan anodino como en la foto y, por si fuera poco, también unos cuantos centímetros más bajo que en mi imaginación. ¿Acostarme... con él? Solo pensar en un simple beso de semejante tipo ya me da una pereza infinita, así que reacciono rápido (gajes de mi oficio: estoy acostumbrada a ser muy resolutiva en situaciones extremas) y solo tardo una décima de segundo en tomar la decisión de irme. Me levanto y me meto en el ascensor antes de que él pueda verme.

El tanteo de mi primer partido es una mierda:

Fantasías, cero. Realidad, uno.

6

—¿Una columna?

—Sí.

—¿Y qué pasó? ¿Que decidió atacarte?

—¿Cómo?

—¿Que si se puso tonta y te agredió o algo? Leo, tío, esto es no es normal... Con lo cuidadoso que tú eres.

Vale, que alguien pueda sospechar de mí es algo que entra dentro de lo posible. Sí, lo admito. Pero que ese alguien sea mi propio hermano, no me da la gana de aceptarlo.

—Iba con prisa. No sé, Manu, llevo un día raro.

—No me lo jures.

—¿Cuándo puedes tenérmelo?

—¿Gratis?

—Hombre...

—Gratis no puedo, Leo. Esto no marcha muy allá... Y tú deberías saberlo mejor que nadie.

—¿Ya estás otra vez? No fue decisión mía...

—Podías haber presionado más.

—Manu, no era posible darte ese préstamo. No reunías las condiciones necesarias... Antes era otra cosa, pero ahora...

—Claro, Leo, pues por eso mismo no puedo hacértelo gratis. Porque son horas de trabajo. Y, como tú has dicho, «antes era otra cosa, pero ahora...».

—No me vengas con que lo del taller no va tan bien.

—Es que no va tan bien.

—Coches sobran. Con o sin crisis, los coches sobran.

—Te cobro la mitad. Si fuera otra cosa, pero esto... Este destrozo no te lo puedo hacer por nada.

—Tampoco acostumbras...

No soy justo. Ni oportuno. Pero Manu siempre ha tenido el jodido don de sacarme de quicio. Desde pequeños. Desde que era el más gracioso de los dos, el más simpático de los dos, el más cariñoso de los dos. «No, si el mayor es buen chico, pero el pequeño... Ay, cómo es el pequeño...». Y mi madre lo soltaba siempre así, como si aquello no tuviera importancia. Como si las cosas que te dicen cuando eres un crío no fueran importantes. Y vaya si lo son... Por eso yo no quería que Adrián tuviera hermanos, porque puestos a joderle la vida a un hijo, prefiero que sea solo a uno, lo de hacerlo con más me parece un egoísmo innecesario. Sobre todo si eres como mis padres y te da por comparar, o si eres como mi hermano Manu —la puta perfección moral— y te da por presumir de ello.

Igual que ahora, juzgándome, sí, porque eso es lo que hace. Está juzgándome. Por torpe. Por descuidado. Por no haberle concedido el préstamo. Y hasta por rata. ¿Qué quiere? ¿Que dé parte al seguro? ¿Que les cuente que atropellé a una chica y la dejé tirada en medio de la carretera? Sí, claro, eso estaría genial. Así no habría ya comparación posible. Porque el pequeño es el más majo, el más cariñoso... y el menos psicópata, está claro.

—No me vengas con esas, anda.

—Ok, pues la mitad. ¿Para cuándo lo tienes?

—¿Has llamado al seguro, Leo?

—No.

—¿No?

—No quiero que me suban más la póliza.

De algo me tienen que haber servido tantos meses practicando esto de la mentira. Hay que reconocer que con lo de David tuve un buen entrenamiento en contar los hechos un poco diferentes de como son... Noto, eso sí, que mi hermano duda más que Gaby —lo que me hace plantearme hasta qué punto mi mujer me escucha cuando le hablo—, pero es que, conociendo lo meticuloso que soy con el tema del coche, entiendo que a Manu le cueste creerse lo del ataque de la columna homicida. Y eso que, siendo sinceros, tengo que admitir que se lo he expuesto bastante bien. Casi sin nervios... A ver si la voz me sale igual de firme en caso de que llegue a hablar conmigo algún inspector de la policía (¿habrá algo que les lleve hasta mí?).

—Ven en un par de semanas, Leo.

—¿Cómo dices?

—Estamos desbordados.

—¿No decías que el taller no va tan...?

—Desbordados porque he tenido que despedir a dos mecánicos. Antes éramos cuatro y ahora solo quedamos Salva y yo. Entre los dos, no damos abasto. Y eso que Salva curra como un cabrón, pero ni por esas... Sin ese préstamo, no podía mantener a mi plantilla, ya te lo expliqué.

—No es culpa del banco que contrataras más gente de la que podías pagar, Manu. ¿No tenías bastante con lo que ya ganabas?

—¿Me vas a dar tú clases de moderación? Tiene gracia.

No, gracia no tiene mucha. Es otro tropiezo estúpido más. No acabo de entender esta necesidad de ser tan poco agradable con mi hermano precisamente hoy. ¿Qué pretendo? ¿Sabotear mi propio plan? No tiene sentido... A ver a qué viene esto de provocarle haciéndole ver parte de sus contradicciones —muchas, para qué lo vamos a negar, porque entre su rollo 15-M y su reciente vena perroflauta lleva unos meses intratable.

—Claro, es que los que tenéis un pequeño negocio sois unos altruistas. No como yo, Manu.

—Es diferente, Leo. Yo lo amplié porque quería dar puestos de trabajo. Y sueldos dignos. Por eso se ha ido a la mierda, porque no podía mantener esas condiciones. Y yo quiero trabajadores, no esclavos.

—Ya, claro, ¿por eso ahora sois menos? ¿Por conciencia social? Venga, hombre, sois menos para que tus beneficios no disminuyan.

—No me jodas, anda.

Lo intento. De verdad que lo intento. Quiero reprimirme, pero cuando Manu se pone en plan comprometido saca lo peor de mí. Con el discurso ese en el que los únicos que tenemos la culpa de todo somos los demás —y especialmente yo, claro, sobre todo yo— y no él, no, qué va, porque él se miente de puta madre y se cree un autónomo vocacional y generoso que reparte sus beneficios con los pobres. Sí, claro, un Robin Hood mecánico que no se está forrando ni haciendo una segunda casa —venga, Manu, que para eso era para lo que querías el crédito, para seguir lucrándote—. Ni le molestó lo más mínimo lo del dinero B cuando dio la entrada de su picadero de soltero de oro en el centro. Pero el cabrón siempre lo ha hecho muy bien, ha sabido vender genial su imagen desde que era un enano, y yo, claro, yo cómo no iba a tener que inventarme con semejante rival en casa. Como para no hacerlo... Era eso o dejarse arrollar por el hermano solidario, el hermano comprometido, el hermano implicado. Qué jodido es ser hermano de una puta ONG, de verdad.

—No me hagas caso, Manu. Es que lo del coche me ha puesto de mala leche.

—¿Es solo eso?

Claro, Manu, claro. ¿Qué va a ser? ¿Pero qué motivos tiene este para desconfiar de mí precisamente hoy? ¿Por qué no se ha limitado a decirme que vale, que me lo arregla y que el coche estará listo al día siguiente? No lo entiendo, de veras. ¿Por qué coño parece que nadie quiere ajustarse a mi sencillo plan?

—Perdona. No sé qué me pasa hoy.

—Ya se ve...

—¿Dos semanas entonces?

—Dos semanas.

—Está bien. Entonces te dejo, voy a alquilarme uno. No puedo estar sin coche, ya lo sabes.

—Me consta.

—Te llamo otro día y nos tomamos unas cañas.

—Cuando quieras.

Salgo del taller, respiro y me prometo no ser tan imprudente en los próximos días. Leo, contrólate. Leo, contrólate. Leo, contrólate. Y así hasta que me convenzo de que en las siguientes semanas lo mejor es que no cabree a nadie ni haga un solo enemigo en mi entorno. Fuera rivalidades. Y fuera sospechas. De cualquier tipo.

Todo podría ser casi perfecto si la realidad no se empeñara en hacerse presente. Actualizo los titulares del periódico en el móvil y descubro que, ahora mismo, ya soy noticia. Según leo, la policía dice tener algún posible indicio del criminal que se dio a la fuga tras atropellar a una adolescente de quince años.

Mi técnica de la respiración se va a la mierda y por un segundo no sé qué palabra me afecta más, si *indicio* —¿apuntará hacia mí o será, quizá, una pista falsa?— u *homicida*, algo que, de momento, creo que me va a costar superar. La conciencia, esa cosa que llevo meses entrenando para que esté en silencio, puede que no tenga todavía la suficiente práctica como para hacer caso omiso de una verdad como esa. Al menos, mientras la lucha la libre solo conmigo mismo, todavía tengo esperanzas de vencer. Pero si sigo haciéndolo tan mal como hoy en el taller de Manu, quizá no.

7

DISCRETO_HOY:	Qué te apetecería?
ILSA_MAD:	Ahora?
DISCRETO_HOY:	Ahora.
ILSA_MAD:	Quieres la verdad?
DISCRETO_HOY:	No necesariamente.
ILSA_MAD:	Lo entiendo... Yo tampoco.
DISCRETO_HOY:	;-)

Este martes iba a vivir una aventura sensual. Morbosa. Una aventura apasionante para olvidarme durante unas horas de todo lo que ahora mismo no acaba de funcionar en mi vida... Pero aquí estoy, apurando la segunda botella de vino de la tarde —a este paso me voy a acabar el mini-bar entero— mientras chateo con internautas que sigo sin atreverme a desvirtualizar.

Tanto prepararlo todo y tanto estrés para que no me pilla-ran en esta mentira para acabar así. Matando el tiempo frente al ordenador... ¿Los nicks? Pues los de siempre. Discretos, Morbosos, Maduros, Ejecutivos, Cinéfilos... Si tuviera algún tipo de interés en la sociología, podría dedicarme a hacer un mapa etnográfico de la población masculina de entre cua-renta y cincuenta años a través de sus nicks. Qué poco apete-cibles me resultan todos de repente... ¿No será que esto de ligar *on line* me ha pillado mayor?

—Eres joven.
—Cuarenta y ocho, Jorge.

—Pues eso, Gaby, lo que yo he dicho. Que sigues siendo joven.

—Según para qué.

—Ya estamos.

—¿Quieres que hablemos de tu edad? A ti ese tema tampoco te gusta demasiado.

—En mi caso es distinto.

—Pues claro que es distinto. En los hombres la cuestión de la edad es diferente.

—No me seas tópica, anda.

—No me seas tú infantil. Me jode que me des ánimos de libro de autoayuda.

—¿Y qué quieres?

—Que seas sincero.

—Cuando lo soy, me dices que exagero.

—Porque exageras.

—¿En qué quedamos, Gaby?

—¿Algún avance con ese jovencito?

—Cambio de tercio. Ya veo.

—Luego dices que no hablamos de ti.

—No sé, es un aspirante a actor, ya sabes.

—¿Te quiere llevar a la cama a cambio de un papel?

—Supongo. Pero, de momento, no hay ni siquiera cama. Me calienta. Y desaparece. Un cabrón para ser tan jovencito, la verdad.

—¿Treinta?

—Veintidós.

—Vaya, sí que apuntas bajo.

—No seas mala.

—¿Otra copa?

Toca atacar el vodka. No es que me vuelva loca, pero es lo que hay. Si lo sumo al vino anterior debería obtener un cóctel lo bastante potente como para, al menos, dormir una buena siesta. Total, con que me despierte para cenar es más que suficiente... Entretanto, aquí sigo, haciendo clic entre tíos que, lo admito, no me ponen ni lo más mínimo. La mayoría son divorciados con ganas de buscar un reemplazo a la mujer anterior. O casados a los que les falta la misma dosis de realismo que me falta a mí y que se creen Don Draper —cuánto daño nos está haciendo *Mad Men* a mi generación— a pesar de que a menudo no superan el nivel de la más ramplona mediocridad.

Para una vez que lo intento... Con las ganas que tenía de darle en las narices a Jorge y decirle que sí, que lo había hecho, que le había ganado la apuesta mientras él seguía intentando meter al actor ese de tres al cuarto en su cama. Lo único que buscaba hoy era una pequeña revancha por el infame año de estrés que llevo encima. Un rato de sexo salvaje con un desconocido con el que resarcirme de las tardes peleando con Adrián —«haz esto, acaba eso, dame tu agenda, a ver qué dice esta vez la tutora»—, de las noches aguantando a Leo —«estás muy callado, ¿no vas a decir nada?, ¿te importa bajar el volumen de la tele?, ¿y si hacemos planes que no sean los de siempre, para variar?»—, de la presión de la discográfica —«las ventas siguen bajando, ¿de verdad estás segura de que merece la pena arriesgar por ese grupo?, tienes dos viajes la semana que viene»—, de las llamadas de atención de algunas amigas —«hace mucho que no nos vemos, aún no has venido a mi casa nueva, ¿comemos juntas?»— o de cualquier otra obligación que me recuerda lo imperfecta que soy y las horas que me faltan al día.

Venía tan segura de lo que iba a hacer que no he contado con qué podría pasar si había un abismo entre el encuentro imaginado y el encuentro real. No había previsto qué pasaría si esa decepción era tan intensa como para hacerme perder el interés y reavivar mi inseguridad. Ni cómo reaccionaría si la mediocridad masculina era tan fuerte como para hacerme subir a la habitación, desvestirme, servirme una copa de vino y pasar el resto de la noche sintiéndome estúpida por estar desperdiciando un día en libertad ante la pantalla del ordenador.

—Hay más opciones, Gaby.

—Ya.

—Pues pruébalas. A mí me funcionan.

—Lorena, por favor, tus circunstancias no son las mías.

—¿Has intentado cambiarlas?

—No.

—¿Lo ves?

—Es que no quiero cambiarlas. Tan solo mejorarlas.

—Es lo mismo, Gaby.

—Para nada.

Menos mal que Sandra intervino y serenó los ánimos. La última vez que quedamos, Lorena llegó a ponerme enferma con su condescendencia. Eso, justo eso era lo último que me faltaba para animarme a aceptar el reto de Jorge: los dos me habían tocado el orgullo y, sobre todo, los dos me habían dado la excusa que necesitaba para lanzarme a, bueno, a lo que quiera que sea esto... Y esto es un día de vacaciones tirado a la basura que, para colmo, me va a costar un dineral. «Hay más opciones, Gaby». Sí, claro, muchísimas. ¿Y cuáles son? ¿Irme a un bar sola? ¿Tirar de agenda? ¿Alguien de la lista de contactos de mi e-mail? No, allí no hay ni un solo follamigo... No me gusta generalizar, pero creo que eso de los follamigos no es del todo frecuente en mi generación. Mis amigas no tienen. Mis amigos, tampoco. Ni siquiera Sandra. Ni Lorena, y eso sí que me sorprende un poco más. Es raro, porque me siento frustrada, pero no culpable. Seguramente, la pantalla vacía de mi móvil tiene algo que ver con esa tranquilidad. Si hubiera un sms, o una llamada perdida, o un nuevo whatsapp de Leo, puede que hasta me asaltaran los remordimientos, e incluso que me inventara un vuelo de última hora y sintiera la necesidad de regresar a casa para la cena. Pero mi móvil no da señal alguna. Estará durmiendo la siesta. O echado en el sofá. O, simplemente, estará en plan autista. Total, ese es su estado natural desde hace unos meses. Autismo que no parece corresponderse con un rico mundo interior, sino, más bien, con una apática fase de precoz andropausia.

DISCRETO_HOY: Así que no te apetece nada... Y entonces?

Vaya, vuelve el de antes. Este es de los obstinados, parece.

ILSA_MAD: Entonces, qué?

DISCRETO_HOY: Aquí estás para...

Ojalá lo supiera.

ILSA_MAD: Conocerte?

DISCRETO_HOY: XD

ILSA_MAD: Y tú?

DISCRETO_HOY: Para dejarme conocer.

ILSA_MAD: Merece la pena el esfuerzo?

DISCRETO_HOY: Quiero pensar que sí.

ILSA_MAD: ;-)

DISCRETO_HOY: Tengo que salir... Hablamos mañana?

ILSA_MAD: No sé si me conectaré.

DISCRETO_HOY: Me das tú móvil?

ILSA_MAD: No vas muy rápido para una primera cita...? :-P

DISCRETO_HOY: No se te ve asustadiza...

Si tú supieras...

ILSA_MAD: Nunca lo he sido. Y tú?

DISCRETO_HOY: A veces. Soy un hombre sensible.

ILSA_MAD: Permíteme dudarlo.

DISCRETO_HOY: Permíteme demostrártelo.

ILSA_MAD: Debería?

DISCRETO_HOY: Dame al menos tu e-mail.

Intercambiar mi correo electrónico con este tipo me hace sentir que mi escapada «a Barcelona» ha sido algo menos inútil y, aunque no esté cumpliendo del todo con mis expectativas, al menos ya tengo un par de anécdotas que contarle a Jorge cuando lo vea. Agrego a Discreto_Hoy, que, según dice, se llama de verdad Hila (¿Hila?, ¿qué tío en su sano juicio querría llamarse Hila?), y quedamos en que seguiremos hablando mañana.

Casi satisfecha, me sirvo la última copa —esta vez de whisky: no dejado ni una botella viva en el minibar—, decido que voy a pasar la noche aquí —¿por qué no llamar al servicio de habitaciones, darme una buena cena y disfrutar de unas horas de merecida soledad?—, y entonces, justo entonces, suena un sms lacónico en el que Leo me dice que está mejor y que la fiebre ha ido a menos. ¿La fiebre? ¿Pero no era el estómago? Al final del mensaje hay una B (punto) a la que respondo, cómo no, con un «Me alegro» y otra B (punto) igual de desganada. Es indignante la costumbre que tiene el mundo real de hacerse presente cuando no se le necesita.

8

El criminal siempre regresa al lugar del crimen.

Hay que joderse con la frasecita... Hasta hoy, siempre había pensado que era el tipo de cosas que solo se dicen, y se hacen, en el cine y en las novelas negras que le gustan a Gaby. Pero acabo de descubrir que no, que a veces esas cosas del cine imitan la vida real. Porque si no, qué demonios hago conduciendo otra vez hasta allí esta tarde.

Al poco de dejar a Adrián en su entrenamiento, me he sorprendido conduciendo en dirección a la maldita curva donde todo ocurrió. Donde, según insisten en la radio —hay que ver lo amena que es la casquería de los informativos—, un desaprensivo atropelló a una niña —cada vez la rejuvenecen más— y salió huyendo.

No sé si me siento un poco raro al volante por lo sucedido o si es que, simplemente, no acabo de acostumbrarme al coche que he alquilado para los días en los que el mío va a estar en el taller. Jodido Manu, ya podía darse prisa y... Bueno, y qué más da, lo importante es que el seguro no se entere. Que nadie se dé cuenta de que falta mi coche o que, al menos, no parezca que falta. He cogido otro del mismo modelo, hasta del mismo color. Adrián no ha notado el cambio, y eso que los coches y la Play son de las pocas cosas que le interesan.

En el fondo, solo quiero asegurarme de que no hay nada que pueda incriminarme. De que no dejé ningún cabo suelto... Y para eso es necesario regresar, aunque, a su modo, no deje de ser un acto temerario. ¿Y si están investigando la zona ahora mismo? ¿Y si llamo, sin pretenderlo, la atención de alguien? No sé, quizá me esté equivocando. Podría tirar de contactos para saber qué está sucediendo. Preguntarle a Hugo, por ejemplo. Está claro que nunca hemos sido grandes amigos, pero sí que nos llevábamos bien cuando Gaby y Jorge se empeñaban en ir al teatro o a cenar los cuatro juntos. Yo casi prefería lo del teatro, porque por lo menos allí los que hablaban eran otros y no tenía que escuchar a Jorge. Gaby sabe que no lo trago —su rollo de maestro zen me da ganas de vomitar— y sospecho que Jorge también es consciente de esa pequeña alergia que, con el tiempo, se ha acabado convirtiendo en auténtica fobia. Tanto es así que, desde que él y Hugo rompieron, apenas hemos vuelto a vernos.

Puede que llamar a Hugo no sea tan mala idea. Además, es un tío bastante natural. Todavía recuerdo lo que nos reíamos en esas cenas cuando él cortaba el monólogo coñazo de Jorge —que, diga lo que diga Gaby, solo sabe hablar de sí mismo o de teatro, es decir, de sí mismo y de *su* teatro—, y nos contaba alguna anécdota de la comisaría. A mi mujer y a su queridísimo e íntimo amigo no les acababa de hacer gracia el humor negro de Hugo, pero a mí todas esas historias medio sórdidas me divertían bastante.

Pues nada, le llamo, le pregunto que qué tal le va tras dejarlo con Jorge —como si alguna vez le hubiera preguntado por su vida de pareja o le hubiera enviado un triste sms desde que lo conozco— y, después, le suelto, como quien no quiere la cosa, que si sabe algo de la chica atropellada en cierta curva de cierta carretera de cierto barrio residencial a las afueras de Madrid. Sí, señor, todo muy natural y muy creíble. Cómo no me va a contar él los entresijos de la investigación... Hasta podría quedar conmigo para unas cañas, como si fuéramos colegas de toda la vida, en vez de dos tíos que se tragaban aquellas aburridísimas e interminables cenas a cuatro bandas para no disgustar a sus parejas. Un plan estupendo, Leo, realmente genial.

El criminal siempre vuelve al lugar del crimen.

Mentira. Eso solo sucede si el criminal no se muere de miedo unos kilómetros antes. Si el criminal no está tan acojonado que prefiere dar media vuelta, quedarse con sus dudas —¿habrá alguna pista?, ¿algún rastro que los conduzca hasta mí?— y probar suerte de otro modo que sea un poco menos arriesgado. O incluso menos kamikaze. Lo malo es que el siguiente método —una vez descartada esa llamada a Hugo para preguntarle por cierta investigación criminal en curso— es una idea que me viene dictada, directamente, desde esa zona oscura y obstinada que se llama conciencia. Una voz que me exige que, al menos, le ponga cara a lo sucedido y que tenga el valor de acercarme al hospital donde mi víctima —la suicida adolescente a la que los medios convierten, con sus mentiras habituales, en niña asesinada— se encuentra desde ayer.

9

DISCRETO_SIEMPRE:	Hoy también por aquí? Y a estas horas de la mañana?
ILSA_MAD:	Eres Hila?
DISCRETO_SIEMPRE:	Sí. En versión mejorada.
ILSA_MAD:	Lo del siempre da un poco de...
DISCRETO_SIEMPRE:	Seguridad?
ILSA_MAD:	Mal rollo.
DISCRETO_SIEMPRE:	No te gustan los siempre?
ILSA_MAD:	De eso ya voy servida.
DISCRETO_SIEMPRE:	Lo imaginaba.
ILSA_MAD:	Tan transparente soy?

Discreto_Siempre ha vuelto a cambiar su nick. Ahora es Discreto_Hoy.

DISCRETO_HOY:	Un poco, sí.
ILSA_MAD:	Gracias. Lo de hoy me gusta mucho más ;-)
DISCRETO_HOY:	En sentido literal o figurado?
ILSA_MAD:	Figurado. Hoy no puedo.
DISCRETO_HOY:	Por tu trabajo? Por tu siempre...?
ILSA_MAD:	Mi tema «siempre» lo dejamos fuera, ok?
DISCRETO_HOY:	Como tú digas. Mi silencio va incluido en el discreto.
ILSA_MAD:	Solo es un nick.
DISCRETO_HOY:	Los nicks significan mucho más de lo que parecen.

ILSA_MAD:	El mío, por ejemplo? :-P
DISCRETO_HOY:	El tuyo anunciaba a alguien interesante.
ILSA_MAD:	Entonces los nicks mienten.
DISCRETO_HOY:	Será eso :-)
ILSA_MAD:	Tengo que salir. Estoy en el trabajo.
DISCRETO_HOY:	Cuánto «siempre» hay metido en tu vida, no? XD
ILSA_MAD:	Tú dónde estás?
DISCRETO_HOY:	Quieres una descripción morbosa?
ILSA_MAD:	Con una respuesta simple me conformo.
DISCRETO_HOY:	En casa.
ILSA_MAD:	Pues ahora me tienta la descripción morbosa...
DISCRETO_HOY:	Tienes tiempo?
ILSA_MAD:	La verdad es que no :-/ Si sigo aquí, me matan. Hablamos luego?
DISCRETO_HOY:	Te busco
ILSA_MAD:	Hoy?
DISCRETO_HOY:	Siempre :-P

Ni edad. Ni profesión. Ni más dato que el de un nick con adverbio temporal cambiante. Quizá por eso me divierte, porque con este «lo que sea» (¿chico, señor, joven, hombre, tío?) no hay ningún elemento que distorsione mi percepción. O mejor dicho, mi invención. Me excita inventarme su identidad —edad, mirada, intenciones, cuerpo— mientras chateamos. Una identidad a la que atribuyo los rasgos que necesito para que la fantasía de su existencia me resulte morbosa... Pero el teléfono interrumpe mi momento creativo y la realidad se hace, otra vez, omnipresente.

—¿Sí?

Es Lara, cómo no, preocupada porque no acabamos de cerrarle un par de conciertos en unas plazas de segunda fila.

—Estamos en ello, cielo.

—¿Seguro?

—La duda ofende.

—Gaby, es que noto que no me...

—No me seas paranoica.

—No lo soy. Es solo que...

—Esta semana te doy datos concretos. Palabra.

Su nuevo disco tampoco ha funcionado —ya son dos fracasos seguidos más o menos rotundos— y, tal y como están las cosas, me temo que la compañía no se va a arriesgar a producir el tercero.

—Ya sé que este disco no ha ido bien.

—Ni el anterior.

—Sí, vale, el anterior tampoco. Pero con el primero hicisteis una caja de puta madre.

—Tampoco hay que magnificarlo, Lara.

—¿Ah, no? ¿Ahora resulta que lo estoy «magnificando»?

—Yo no he dicho eso.

Lara busca motivos para justificarse y se aferra a un pasado, no tan lejano, en realidad, en el que sí nos daba dinero y fue una de las artistas más rentables del sello. Una promoción simplona, una música más o menos pegadiza, una estrategia de márketing con su justa dosis de escándalo calculado y una campaña viral que, por no sé qué casualidades, funcionó. Eso fue todo. Ni un talento sobresaliente, ni una capacidad notable, ni nada mínimamente reseñable más allá de que las circunstancias nos sonrieron a todos con un disco tan mediocre como los demás que producimos.

—Pues claro que no me he rendido, Lara. Me conoces y sabes que yo no...

—¿Te están presionando para que me largues?

—¿Puedes dejarme hablar? Te estoy intentando decir que...

—Creo que sé lo que me estás intentando decir.

—A ver, Lara, no te obceques y vamos a ser prácticas. De momento, esos conciertos te aseguro que sí se van a hacer. Están casi firmados y...

—¿Y luego?

—¿Me vas a dejar hablar o no?

Y, por supuesto, no me deja. Lara está tan llena de rabia y de fracaso que necesita monologar durante casi diez minutos. No es la primera que me monta un número así en los últimos años, claro, y por suerte he aprendido a distanciarme de este tipo de conversaciones. Me sigue costando decir no, pero al menos ahora lo hago con la suficiente frialdad como para no dejarme parte de mí en cada negación. Cuando la conciencia me molesta demasiado, me repito que ese es el precio por progresar en la discográfica y, como en mi manual de instrucciones de la mujer perfecta se supone que hay progresar en todas las facetas, no me puedo dejar amilanar por tontos prejuicios culturales. Ni personales.

—No te obsesiones con el siguiente trabajo, Lara. Ya nos reuniremos para discutirlo con más calma.

—¿Estás hablando en serio?

En serio, en broma, y qué más da. A veces me pregunto si es que lanzo esas mentiras piadosas demasiado bien o si son ellos quienes prefieren engañarse a sí mismos y creer en algo que, evidentemente, no es verdad. En el fondo, si no digo nada rotundo en momentos como este —por teléfono, sin aviso previo, sin un café delante que permita hacer más civilizado el desencuentro—, es para evitar romperle el corazón a gente con tan poco talento —pero con tanta pasión— como Lara. Porque puede que no haya aportado nada —no, nada en absoluto— a la historia de la música, pero al menos sí se ha dejado la piel en cada trabajo. Y en cada gira.

—¿Y eso qué quiere decir?

—Que a lo mejor sí que se merece otra oportunidad. Es una luchadora.

—Que no ha vendido nada estos dos años.

—Ni ella ni nadie, Alejo. Sabes que esto ya no funciona como antes.

—Quizá, precisamente, porque contratamos a gente como ella.

—Lara le pone ganas.

—Pero no da dinero, Gaby.

—Yo creo que se merece una oportunidad. Es de las pocas que está siempre dispuesta a lo que sea.

—Eso no basta. ¿Cómo quieres que te lo diga? Queremos éxitos. Y queremos ventas.

Ese es el *leitmotiv* del sello, el lema de cada reunión. «Éxitos y ventas». El binomio que resume la filosofía de la empresa y, de paso, mi día a día en este despacho. Todo lo que se salga de eso, no tiene cabida. Hace años sí, claro, antes de internet, e incluso algo después del Napster y de todo lo que empezó a hundirnos sin que nosotros reaccionásemos, porque, diga lo que diga Alejo, que es tan buen gerente como pésimo analista, en el sector no supimos reaccionar a tiempo. Hace no mucho sí que había espacio para arriesgar, hasta para lo alternativo, pero desde que la crisis se adueñó de todo ya sí que no. Ahora, que el éxito vaya acompañado de cierto criterio musical es algo puramente anecdótico.

—Lara, venga, cálmate y hablamos esta semana. Comemos, ¿de acuerdo?

—Llámame, ¿vale?

—Tranquila. Yo te llamo.

Puede que sea la experiencia, pero ahora ya no me afectan tanto momentos como este. No es que sea muy agradable, claro, pero he aprendido a ver con cierta distancia cómo se derrumban los demás. En el fondo, supongo que ellos, en mi posición, no dudarían en hacer lo mismo que hago yo, así que esa visión carroñera de la realidad me permite un cierto alivio. Aunque sea momentáneo.

«Mucho trabajo, nena. Hoy no ceno en casa. B».

¿Que Leo cena hoy fuera? ¿Un miércoles? No sé qué me extraña más, si que mi marido tenga vida social entre semana o que use de repente ese *nena* tan poco habitual en él. *¿Mucho trabajo, nena?* ¿Desde cuándo me llama a mí así? En nuestra vida de pareja no abundan los apelativos cariñosos —llevamos tanto tiempo aburriéndonos mutuamente que se nos ha olvidado cómo se usaban—, y, además, lo de *nena* me suena tan ridículamente ochentero que casi me dan ganas de llamarle y pedirle que me confiese la verdad. Quién sabe. A lo mejor él también está navegando en internet y buscando a gente con la que matar el tedio que, cada vez lo tengo más claro, nos asfixia a los dos. No creo que nuestra situación sea de desamor —veinte años de relación, un hijo en común, cierta complicidad, una vida sexual razonablemente normal y hasta algún que otro viaje apetecible en los últimos años—, sino más bien una situación de aburrimiento, o de exceso de cotidianidad, yo qué sé. No tiene nada que ver con la crisis en la que me insiste Jorge, con el rollo que me suelta cada vez que sale el tema, pero es que él siempre ha sido un poco reina del drama y yo soy mucho más pragmática. Afortunadamente.

«OK. No te preocupes. Ánimo. B».

B. O, a veces, hasta Bs (si nos sentimos generosos, claro). Hace tiempo que esas abreviaturas no significan mucho más que la firma corporativa de mi e-mail. Escritas por defecto... «¿Ves? Porque estáis en crisis», me diría Jorge. Pero no es exactamente eso. Aunque Leo lleve unos meses especialmente raro: más callado, si cabe, de lo habitual, y mucho más hermético. Aunque empiece a tener la impresión de que se está esforzando por darme pistas de que, de un tiempo a esta parte, ha empezado a vivir una doble vida. Una doble vida que, desde la otra noche, es ya casi evidente. Es más, si no recuerdo mal, ni siquiera avisó de que iba a retrasarse. Tan solo llegó tarde. Y nervioso. Descompuesto por saberse pillado en falta, claro, por eso lo noté como ausente... Ahora todo me cuadra.

—¿Era Lara?

—Sí. No va a encajarlo nada bien...

—Tómatelo con calma.

—Lo intento, Helena, pero ya sabes que este tipo de situaciones nunca son...

—Fáciles.

—Pues no...

—¿Te apetece un café?

Opción a: café, pausa y catarsis laboral con mi compañera. Opción b: no café, pausa en mi ordenador y catarsis virtual con Discreto_Hoy.

—Ahora mismo no... Tengo que terminar un par de cosas.

—Vale, ¿comemos luego?

—Sí, claro, Helena. Luego.

No me apetece demasiado regresar al chat (la conversación con Lara ha dejado bajo mínimos mi capacidad de empatía), así que —como lo único que quiero es jugar con mi propia fantasía— decido escribirle un e-mail a Discreto_Hoy (lo de llamarlo Hila me parece un horror), con el que tampoco tengo demasiado claro qué es lo que realmente pretendo conseguir. Pero eso sí, sea lo que sea, no pienso volver a hacer el ridículo de la otra noche.

10

—¿Pasa algo, Leo?

—¿Qué?

—Que si te pasa algo... Hoy estás muy disperso.

—No, Ernesto, es solo que he dormido mal. Sigo tocado de lo del estómago.

—Ya.

Mi jefe pone siempre mala cara cuando hablo de mi estómago. Es como si le tuviera una aversión irracional a esa parte de mi anatomía. O como si, de algún modo, supiera que es la mentira que empleo cuando, por el motivo que sea, no me apetece ir al trabajo.

Por mucho que me esfuerce, no acabo de saber cuándo empezó todo. Lo intento, pero me cuesta encontrar el momento exacto en que mentir —siempre por razones justificadas— acabó convirtiéndose en mi forma de vida. A estas alturas, el Leo que me he inventado con los años es ya más una primera que una segunda piel. En realidad, lo de engañar a los demás no ha sido nada más que una consecuencia esperable de ciertas circunstancias. Yo no tenía previsto fabricarme otro yo, pero entre unos y otros me han obligado a hacerlo. Son ellos —los demás, sí, siempre son los demás— los que me han forzado a crearme un yo, por supuesto, mejorado.

Al principio tampoco tenía tanta importancia. Alguna cifra cambiada en las notas. Algún comentario inventado, para alegría y jolgorio de mis padres, en el que cierto profesor me felicitaba por algo que su hijo mayor —yo— había hecho de manera brillante y notable. Alguna travesura imputada a mi hermano menor (cualquier cosa con tal de bajarle los humos). Poco más... Lo peligroso es que, desde muy pronto, noté que mis mentiras resultaban bastante más creíbles que mis verdades y, sobre todo, mucho más eficaces. A fin de cuentas, creerse que algo sucedió lo hace mucho más real que si hubiera sucedido de verdad.

Con el tiempo, las mentiras cambiaron la finalidad. Y, por puro azar, el destinatario. No es que yo quisiera seguir engañando —en el fondo, nunca lo pretendí—, pero la sucesión de los hechos me llevó a ello. Ya no se trataba de impresionar a mis padres, ni siquiera de competir con mi hermano, no, ahora el objetivo final era conseguir hacerme con alguna chica que estuviese dispuesta a desvirgarme. Y entonces descubrí lo práctico que puede ser inventarse, en el terreno del amor y del sexo, yoes con problemas, o yoes macarras, o yoes sensibles, o yoes creativos... Podían haberme dado algún premio de interpretación —los bordaba todos— y, a falta de algún merecido Óscar, me consolé con una buena colección de memorables polvos. Como Manu era el guapo, el atractivo y el interesante —según decisión de la genética y del contubernio familiar—, a mí me quedaba la opción de la máscara para llevarme a la cama a las tías que él era capaz de seducir con apenas mirarlas.

Mi yo sensible y creativo fue el que triunfó con Gaby. A ella le gustaba el mundo de la música, así que decidí que a mí también. Y me lo curré bastante la verdad... Hoy, con Google y con la Wikipedia supongo que habría ahorrado mucho tiempo, incluso me habría bastado mi rapidez tecleando en el iPhone para salir airoso de ciertas conversaciones de las que teníamos por aquel entonces. Pero en ese momento me tocó tirar de biblioteca y de memoria, porque si de algo estuve seguro cuando empezamos a conocernos en serio, era de que quería vivir con ella. Creo que Gaby piensa que mi yo creativo y sensible sigue existiendo, solo que con el paso del tiempo se ha aburguesado y se ha vuelto algo más gris. Yo no la saco de su error. Para qué. Prefiero que me imagine como a ella más le guste, de otro modo no creo que nuestro matrimonio hubiera resistido tantos años sin romperse del todo.

Además, ahora mismo no sería buen momento para sincerarse. Y eso que nuestra vida de pareja pide a gritos una buena charla desde hace tiempo, pero justo después de lo del crimen —perdón: accidente— sería muy mala idea abordar ese tema. Llevo dos noches seguidas sin poder dormir, levantándome con crisis de ansiedad y poniéndome ciego de la mierda esa del Lexatin. Lástima no tener un tercer hermano —farmacéutico, esta vez— para que me pase cuanta droga haga falta para olvidarse de esto.

No es la primera vez que me sucede algo así... Hace tan solo un año ya estuve en vela casi dos semanas seguidas. Dos semanas en las que lo peor no era la ansiedad, sino, igual que me sucede hoy, la necesidad de ocultársela a Gaby. No puedo decirle que no pego ojo porque he atropellado a una adolescente. Igual que entonces no podía contarle que me encontraba fatal por lo de David.

Aquella vez, lo admito, faltó muy poco para que notara que me sucedía algo. Afortunadamente, la mentira de mi *merecido* ascenso sirvió para justificar el porqué del repentino estrés. La presión, la responsabilidad, las nuevas tareas... Todo sonaba tan convincente como la historia de por qué *me merecía* ser justamente promocionado tras casi quince años en el banco.

En ese caso, al menos, la mentira no era del cien por cien. No tenía nada que ver con la de ahora. Ahora estoy negando la mayor, conduciendo un coche que no es mío mientras el otro, el del crimen —Leo, sí, sí que fue un crimen, fue un puto crimen y tú, un puto cobarde— se arregla en el taller. Ahora estoy ocultando algo que ha sucedido, mientras que aquella vez me limité a mentir sobre cómo había sucedido. No era más que un asunto de matices. Y de puntos de vista.

En el fondo, puede que ni siquiera actuara mal. No sé, los dos aspirábamos al mismo puesto. Y los dos sabíamos que no obtenerlo era quedarse fuera, casi en la cuerda floja. David era mi mejor amigo, o algo muy parecido, pero también es un tío muy ambicioso —por eso siempre nos habíamos llevado tan bien—, así que estoy convencido de que él tuvo que hacer, a mis espaldas, exactamente lo mismo que yo hice a las suyas. La diferencia es que mi táctica triunfó y la suya no. Así de simple. Yo fui más hábil encontrando sus puntos débiles y convenciendo a Ernesto de que tenía que elegirme a mí. Y se ve que David no consiguió ningún documento ni ningún fallo en mi contra tan eficaz como los que yo sí supe reunir, en tiempo récord, contra él. Luego, cuando Ernesto le citó en su despacho y le dijo que estaba despedido por algunas irregularidades imperdonables, se ensañó conmigo y jugó a ser la víctima de una traición que él, sin duda, también tuvo que cometer. Mi jefe nunca me ha dicho nada, porque sabe que en esos temas es mejor ser discreto y no seguir envenenando la sangre de quienes trabajan para ti, pero no me cabe duda de que David vendió como una jugada sucia por mi parte lo que no fue más que una pelea de gallos en toda regla. O algo así, creo.

En casa, como me preocupaba que mi mujer averiguase hasta qué punto mi amigo se había portado como un verdadero Judas, no conté nada de los métodos que ambos empleamos para hacernos con ese *merecido* ascenso. Al revés, mientras la lucha duró, no solo pasé por alto los detalles más escabrosos del asunto, sino que, ante el hermetismo de David, le pedí a Gaby que le llamara para ver si con ella se abría y si, de ese modo, conseguíamos evitar que todo se fuera a la mierda entre nosotros. No negaré que también pretendía espiar a mi rival —no me habría venido mal que mi mujer recabase algún dato sobre las tácticas que él estaba empleando en mi contra—, pero sé que en el fondo mi intención era buena, hasta conciliadora, aunque David la malinterpretase.

A mi mujer, lo de llamarle le pareció fuera de lugar, pues ni lo veía oportuno ni era algo que ella hubiera hecho antes —aunque, por el modo en que David la miraba durante alguna de nuestras cenas de parejas, podría jurar que a él no le habría importado. Incluso llegué a preguntarme si mi supuesto mejor amigo habría sido capaz de fallarme también en eso... No fue sencillo, pero acabé convenciéndola y Gaby lo telefoneó un par de veces. David, ofuscado en su odio, no respondió a ninguna de sus llamadas, así que ella le dejó unos largos mensajes en su buzón de voz que solo tuvieron como respuesta un seco sms pidiéndole que no le molestara más. «Pregúntale a tu marido», añadió. Ella, por supuesto, lo hizo y yo no tuve más remedio que contestar: me vi obligado a explicarle cómo mi mejor amigo había intentado acabar con mi reputación para conseguir un ascenso que yo me merecía mucho más que él. Si antes no le había revelado la verdad, me justifiqué, era para protegerla, para evitar que se llevara otra decepción más.

Pero eso fue hace ya un año. Y el sueño, afortunadamente, no tardó en regresar. Recibí un par de correos de mi examigo con un montón de acusaciones injustas y, por supuesto, nos distanciamos del todo, lo que no dejó de disgustar a Gaby, que para estas cosas de la amistad es algo exagerada. Incluso le mandó a Julia, la mujer de David, un par de mensajes que esta, menos mal, no contestó. A Gaby, ese silencio le pareció un detalle de muy mal gusto y yo respiré aliviado en cuanto me di cuenta de que ahí terminaba, para siempre, cualquier otro intento de comunicación entre mi mujer y Julia.

A mis padres, el ascenso les pareció una prueba más de las brillantes dotes de su hijo y sumaron el nuevo logro a mi lista de hazañas. Manu fue el único que insistió en preguntarme por el proceso —que cómo lo había logrado, que si había más candidatos, que a qué se debía esa promoción— y, seguramente por culpa de los celos —hay que joderse con mi hermano—, no acabó de creerse una historia que era y es, en todo lo esencial, absolutamente verdadera.

—¿No te marchas?

—¿Perdona?

—¿Pero qué coño te pasa hoy, Leo?

—Creo que va a ser mejor que me vaya a casa.

—Sí, anda. Vete, duerme y a ver si mañana vienes más despierto. No está la cosa como para andar tan despistado.

—Lo siento. Es que...

—Sí, tu estómago, sí. Un prodigio tu aparato digestivo, macho.

—Mañana nos vemos, Ernesto.

—Mañana, sí. Mañana.

O no. Mejor no, porque si la ansiedad sigue atacando así, creo que me voy a tener que quedar en casa. Y llamar para decir que estoy enfermo. Aunque Ernesto no se lo crea del todo, es la puta verdad. Sí estoy enfermo. Enfermo de darle vueltas a la cabeza. De no poder dormir. Por eso le he mandado ese mensaje a Gaby. «Mucho trabajo, nena. Hoy no ceno en casa. B». No, hoy no. Hoy necesito un rato a solas para organizar mis ideas. Y tomar decisiones. Hoy no puedo fingir por tercer día consecutivo que todo va normal, poner buena cara y tratar de que no me noten nada mientras cenamos. Hoy no me siento con fuerzas para mirar a la cara a mi hijo. No mientras siga sin poder callar esa maldita voz. La que me exige que vaya al hospital. Que conozca a la chica. Que averigüe qué coño hacía allí, bajo la lluvia y a esas horas. Que intervenga en una vida que casi me llevo por delante y sobre la que no quiero tener responsabilidad alguna.

¿Habrá alguna droga que me ayude a callar de una vez la maldita conciencia?

11

De: discretoindiscreto@hotmail.com
Para: ilsamad@hotmail.com
Asunto: Por si...

No me creerás (por qué ibas a hacerlo), pero hoy he ama-
necido pensando en ti. No demasiado, pero sí lo justo
como para que mi nivel de curiosidad suba un poco más.

En realidad, no tengo ni un solo dato tuyo válido, así
que lo más probable es que, si rompemos el hechizo de lo
virtual, nos decepcionemos tanto como para no tomarnos
siquiera un café. Yo, en ese sentido, suelo ser de decisiones más bien taxativas... Lo advierto.

Claro que también hay un porcentaje —mínimo, no nos
engañemos— de que el chat sea el previo de algo que
pueda tener lugar fuera de la pantalla. Por mi parte, no sé
qué prefiero que sea ese algo —aunque una buena dosis de
sexo morboso y adulto no me vendría mal—, pero tampoco
sé si tú estás dispuesta a existir más allá del ordenador.

De todas formas, y como soy un tipo obstinado (Capri-
cornio), no he podido resistirme a escribirte. A probar
suerte por si de verdad existes. Por si de verdad eres interesante. Por si de verdad hay posibilidad de que ese café
—insisto: no esperes compasión ni benevolencia si no me
atraes— sea el preámbulo de la escena de sexo que esta
mañana no conseguía quitarme de la cabeza...

Hablamos?

Hila

Sexo morboso y adulto... Un punto a su favor: me gusta
lo de adulto. Eso me da ¿esperanzas? Y no es que leer su
correo en mi BlackBerry encerrada en el baño, mientras

Adrián finge hacer los deberes y Leo finge estar ayudándole, propicie una atmósfera especialmente mágica, así que si su propuesta es capaz de vencer tanto obstáculo escenográfico, es que realmente me da cierto morbo lo que me propone.

¿Es el momento de decirle mi edad? Si vamos a quedar, es un dato que tiene que saber. No sé qué puede ser más duro. Si que decida no escribirme más en cuanto se entere o jugar al despiste y asumir que me deje plantada cuando la descubra la primera vez que nos veamos. Además, tampoco sé por qué estoy asumiendo que mi edad va a suponerle un problema. A lo mejor él tiene la misma que yo. O incluso más. No sé, quizá no me interese él.

Total, y qué más da. Si ese dato nos molesta, tampoco vamos a perdernos gran cosa. ¿O sí? En los últimos meses mis intentos de conocer a alguien no han sido muy fructíferos. Por no hablar del desastre del hotel. Ciento noventa y dos euros —es lo que tienen las habitaciones diseñadas por Zaha Hadid, que son monísimas pero también muy caras— a la basura. Al mismo lugar donde, si fuera sensata, debería mandar ahora este e-mail. ¿Para qué vas a responder a un tío como ese? Pero si hasta te ha dado su signo del Zodíaco. ¿Qué chalado te dice su horóscopo en pleno siglo XXI?

—Gaby, ¿voy poniendo la mesa?

¿Algún día dejarán de hacerme preguntas estúpidas? ¿Alguna vez pondrá Leo la mesa sin preguntarme antes si tiene que poner la mesa? Empiezo a dudarlo. Echo de menos un poco más de resolución cotidiana, de capacidad para solucionar lo poco que pido de él —mi nivel de exigencia ha bajado bastante— sin tener que dar tantas explicaciones. Si no me diera un poco de pereza —porque las charlas profundas a veces dan mucha pereza, la verdad—, le diría cuánto me agota tener que ser yo el motor de todos. Cuánto me cansa seguir haciendo malabares con las palabras —madreperfecta-profesionalambiciosa-esposaapasionada—, aunque cada vez me pese más el sustantivo —madreprofesionalesposa— y se desgasten más los adjetivos... Del ambiciosa queda hoy un despiadada (más por obligación que por codicia); del perfecta, un incoherente (más por imposibilidad de llevar a cabo un método que por falta de él); y del apasionada, un abúlica (más por aburrimiento que por desinterés).

—Gaby, ¿me has oído?

—Que sí, Leo, que sí. Que pongas la mesa, por favor.

—Vale.

De: ilsamad@hotmail.com

Para: discretoindiscreto@hotmail.com

Asunto: RE: Por si...

A. Premisas:

1. Dejando a un lado el nada tranquilizador indiscreto de tu dirección de correo electrónico...

2. Ignorando tu irracional alusión al horóscopo (¿lo decías en serio?)...

3. E incluso pasando por encima la soberbia que se desprende de tu e-mail...

B. Anticonclusión:

Pues bien, haciendo todos esos esfuerzos (que no son pocos), creo que a mí también me gustaría saber si hay algo más que palabrería al otro lado de la pantalla.

C. Desarrollo (casi) argumentativo:

La idea del sexo adulto me parece estupenda (y, a mis cuarenta y ocho, más que factible), pero para llegar a ese punto quizá sea conveniente darnos alguna pista más antes de ese café del que hablas con recelo (¿tanto miedo te damos las mujeres desconocidas?).

Yo, de momento, no me he levantado pensando en ti, pero, quién sabe, lo mismo sí termino haciéndolo. El sexo, cuando es bueno, suele dejarme unas intensas ganas de repetir. Lo demás, ni me apetece ni lo necesito. Te lo digo porque yo soy tan directa como tú expeditivo. Y espero que seas tan diestro tolerando lo primero como exhibiendo lo segundo.

¿Seguimos hablando?

Gabriela

—¿Abro la crema?

¿Hay que responder que sí a una pregunta tan tonta como esa? ¿De veras hay que afirmar que debe abrirse algo que está cerrado para poder volcarlo en un recipiente?

—De acuerdo.

—¿Y la caliento?

—No, mejor la sirves congelada. Así no se pierden las vitaminas.

—No seas borde.

Casi agradecí que Leo cenara fuera ayer. No sé dónde estuvo —la versión oficial es que se quedó a picar algo con Gonzalo a la salida del trabajo— ni tengo intención de comprobarlo. Ahora mismo, si soy sincera, no me apetece nada esforzarme por hablar con él. Ni por hablar con Adri (sí, a nuestro hijo también le hemos puesto un nombre ambiguo: había que perpetuar la maldición familiar). Me da una pereza infinita preguntar por las clases de uno y por el trabajo del otro. Interesarme por saber qué ha dicho o ha dejado de decir la pesada de su tutora (que este año, por cierto, ha decidido mantener conmigo una nutrida e insulsa correspondencia epistolar a través de la agenda de mi hijo) o por cómo le va en el banco a mi marido. Interrogarles por sus compañeros —de oficina, de clase—, o por sus amigos, o por... No me apetece más que desconectar de todo y centrarme en mí misma. Solo unos minutos, unos cuantos minutos, con eso me conformo.

—¿La meto ya en el micro?

De: discretoindiscreto@hotmail.com
Para: ilsamad@hotmail.com
Asunto: RE: RE: Por si...

Gracias por el dato (hábil forma de aclararlo, por cierto). Mi número es un capicúa: treinta y tres. Si para ti no es un problema, para mí, tampoco. Es más, creo que hasta suma puntos. ¿No te parece?
H.
P.S. Me gusta tu nombre. El de verdad.

En ocasiones, cuando menos lo esperas, la vida se hace mucho más soportable. Y este jueves, gracias a la puntualidad epistolar de mi BlackBerry, es una de esas veces.

12

Respira. Finge. Finge. Respira.

Lo juro: intento controlarme mientras Adrián se esfuerza en demostrarnos lo harto que está de ser nuestro hijo. O de ser hijo, así, en general, porque desde hace unos meses ni Gaby ni yo sabemos qué le pasa. «La adolescencia» —así, a secas, y tras una factura de ciento diez euros incluidos—, nos ha dicho el psicólogo al que su madre se ha empeñado en llevarlo. Ciento diez euros de sesión para nada, como era de esperar. Que la adolescencia es una mierda ya lo sabía yo y no necesitaba de ningún seudomédico para comprobarlo.

—No seas reduccionista.

—¿Que no sea qué?

—Nos ha dado algunas claves más.

—¿Ah, sí, Gaby? ¿Y cuáles?

—Bueno, lo del estrés. Dice que Adrián se siente un poco presionado. Que nuestro nivel de expectativas tal vez...

—¿Nivel de expectativas? Por favor, si le aplaudimos cada gilipollez que hace.

—A lo mejor es eso, Leo.

—A lo mejor es que la psicología es una pérdida de tiempo. Y de dinero ni te cuento.

—Es una ciencia.

—Sí, exacta y todo. No veas lo útil que ha sido siempre en esta casa.

—¿Eso va por mí?

—Bueno, teniendo en cuenta el dineral que llevas en psicoanalizarte y lo poco que te cunde el asunto...

—¿Se puede saber qué te pasa hoy, Leo? ¿Por qué te parece todo tan mal?

—Mira, Gaby, Adrián está llegando al límite de lo tolerable. Así que tú verás si le hacemos caso a tu experto y «reducimos nuestro nivel de expectativas» o si ponemos freno a la situación y le marcamos unas pautas mínimamente adultas. Si seguimos así, en dos años no tendremos un desconocido en casa, tendremos un déspota.

—No exageres, Leo.

Y no exageraba. No exageraba porque lo de esta noche, por ejemplo, supera, y con mucho, los límites de lo razonable. Y no sé si será nuestro nivel de expectativas, pero la cara de asco de mi hijo ante cada uno de nuestros comentarios y su negativa a compartir cualquier tipo de información, por insignificante que sea, con nosotros consigue sacarme de quicio. Así que, aunque me controlo, aunque cuento hasta diez, aunque me esfuerzo por mantener un ritmo acompasado en la respiración —inspiro, espiro, inspiro, espiro—, al final tengo la tentación de acabar explotando.

—¡Se acabó, joder! ¡A tu puto cuarto!

Pero no lo digo. Sé que si lo hago, Adrián se levantará refunfuñando y Gaby me lanzará una mirada asesina que dejará bien claro lo que piensa de mi pérdida de papeles. Y de lo que habría opinado su amigo el terapeuta, mejor ni hablamos... Si estallo, me tocará una escena de previsible discusión conyugal —«no sabes hablar a tu hijo, así es normal que no tenga confianza en nosotros, haz el favor de esforzarte más, esto es insoportable...»— y ahora mismo estoy demasiado al límite como para manejar según qué situaciones. Así que, para evitar males mayores, adopto durante lo que nos queda de cena lo que Gaby llama mi «modo *off*» y que yo prefiero denominar mi «estado zen». No estoy. No soy. No existo. Al menos, no existo aquí ni ahora. Con eso basta.

La culpa es tuya, imbécil. La culpa es solo tuya...

Y mientras mi hijo sigue contestando con gruñidos a su madre —algo que a todas luces reclama una sonora bofetada por mucho que la psicología moderna lo rechace—, me reafirmo en que hoy, al salir del banco, he tomado la peor decisión de las posibles: ir hasta ese hospital. A ver qué pintaba yo en medio del Clínico, buscando la habitación de la chica en coma, la chica atropellada por un indeseable que se había dado a la fuga y al que la policía estaba buscando. Por suerte, tengo la firme convicción de que la policía es tan inútil como los psicólogos, así que su investigación no me inquieta en exceso.

Tenías que ir hasta allí, Leo, tenías que presentarte allí para llamar la atención. Te habrán visto todos. Todos habrán notado que eras un intruso en ese pasillo. Y eso que, por lo menos, no has preguntado a nadie. No, te has quedado fuera. Solo te habría faltado entrar y mirarla a la cara. Hola, sí, que soy yo. Yo soy el cabrón que te arrolló con su coche y luego... No, no les habrías dicho eso a sus padres. Ni a su hermana. No les habrías dicho eso —aunque hoy los hayas visto a los tres, deshechos y rotos de cansancio en la puerta de la UCI— porque fue ella la que salió corriendo de ninguna parte, en una curva —joder, una curva sin visibilidad, sin paso de peatones, sin nada que invitara a ser cruzada de esa forma—, fue ella la que se jugó la vida esa noche, bajo esa lluvia, frente a ti. Hola, eso les dirías, hola, yo soy el tío al que su hija ha estado a punto de arruinarle la vida con su imprudencia. Les dirías eso y luego mirarías a Alba —ahora ya sabes también su nombre— igual que miras a Adrián, sin entenderla, porque no entiendes ni los quince de ella ni los de tu hijo. No entiendes nada, coño. No entiendes nada.

—Ya estás en *off*, ¿no?

—A ver, Gaby. Di.

—Déjalo, Leo.

—¿No irás a cabrearte?

—Mañana tengo una reunión a primera hora. ¿Te encargas tú de llevar a este?

—No soy este.

—Sí, Gaby, me encargo yo de este.

—¡Que no soy este!

Es increíble lo que un adolescente puede llegar a hacer con un demostrativo. El *este* se convierte en un grito cansino hasta que su madre, que tampoco tiene tanta paciencia como le gustaría, lo manda a la cama sin cenar y sin el rato habitual de Play. Lo de la cena le importa poco, lo de la Play, sin embargo, le cuesta mucho más. Grita que la vida es injusta —pobre, no sabe hasta qué punto...— y se encierra en su dormitorio. Gaby se levanta dispuesta a regañarle por el portazo que acaba de dar y yo aprovecho este momento de soledad para volver al mundo del *off*, según ella, y del zen, según yo. ¿Por qué ni siquiera me deja llamar mi realidad como a mí me apetece?

En mi realidad de hoy hay una imagen nueva. Se llama Alba y, por lo que decían los familiares que estaban por allí, debe de ser una chica preciosa. Tampoco es un dato muy fiable —todas las hijas son preciosas para sus padres—, pero es lo único, junto con la rabia y el rencor, que he sacado en claro de esta visita. Me ha costado tanto dar con el lugar —mis dotes detectivescas no se puede decir que hayan resultado deslumbrantes— que al llegar ya estaba demasiado cansado como para sacar mucha información de ese encuentro. Me he fijado, eso sí, en los padres, a los que era fácil localizar tanto por su actitud como por las reacciones del entorno. Y en otra chica —dos o tres años más pequeña que Adrián—, que debe debía de ser la hermana pequeña de Alba. Y en una señora que, por edad, podría ser su abuela. Del resto de personajes, ni idea.

—Leo, ¿qué haces por aquí?

Si había algo que no esperaba que sucediera esta tarde, era escuchar mi nombre en el pasillo del hospital. El corazón se me ha puesto a latir a mil por hora y hasta he notado cómo empezaba a formarse algo muy parecido al sudor frío. Si lo que he sentido en el Clínico no era pánico, hay que admitir que se le parecía mucho.

—¡Hombre, Hugo! Qué sorpresa.

—Lo mismo digo, Leo. ¿Qué ha pasado?

—Tranquilo, solo estoy visitando a un amigo.

—¿Algo serio?

—No, nada del otro mundo... ¿Y tú?

—De servicio. Me han encargado el caso de una paciente de esta planta.

—¿De esta planta?

—Sí, una adolescente a la que atropellaron hace un par de días. Lo habrás leído en la prensa.

Nunca había visto a Hugo de uniforme y, la verdad, impresiona. Hasta hoy, la única imagen que tenía de él era la del tío simpático que no pegaba ni de coña como novio de Jorge. En el fondo, Hugo siempre me ha parecido muy hetero: en sus formas, en sus intereses. En esas cenas de los cuatro, él y yo lo pasábamos bien. Nada que ver con el pesado de Jorge, que fue, por cierto, el que contagió a Gaby con su fanatismo por el psicoanálisis. Lo mismo Hugo acabó saliendo del armario por equivocación y ahora se está pensando volver a entrar en él, que también puede ser, ¿no?

—¿La chica atropellada? Sí, algo he leído.

—¿Y tu amigo?

—¿Qué amigo?

—Pues...

—Ya, mi amigo... Ahí sigue, en la planta de abajo. Acabo de darme cuenta de que me he confundido.

—Bueno, Leo, a ver si nos vemos. Desde lo de Jorge no hemos tenido ocasión. Tampoco sé si a Gaby le apetecerá.

—Sí, claro, ella te aprecia mucho.

—Dale recuerdos, ¿vale?

—De tu parte.

Pero, por supuesto, no lo hago. Ni pienso hacerlo. Lo último que necesito es contarle a Gaby que me he encontrado con Hugo en un hospital donde visitaba a un amigo que no existe mientras el ex de su mejor amigo investigaba un caso en el que yo soy el único y principal sospechoso. ¿Y si Jorge le comenta algo a Gaby? A lo mejor Jorge y Hugo han roto civilizada y europeísticamente —los gays a veces son un poco petardos en su manera de acabar con una relación— y todavía se hablan como si pudieran ser amigos (no pueden serlo, claro, pero con su rollo sensible se convencen de lo contrario hasta que se hacen tanto daño que acaban por mandarse a la mierda mutuamente: estoy seguro).

Pues eso, que a lo mejor Jorge sabe que he visto a Hugo y se lo suelta a Gaby —«¿Te ha contado Leo que se encontró con mi ex en el Clínico?»—, aunque me da a mí que Hugo es diferente. Más parecido a mí. No sé, tendré que inventarme alguna excusa, por si acaso, pero confío en que nuestro amigo el policía haya terminado lo bastante harto del productor teatral y de su ego XXL como para no querer saber nada más de él. A ver si ahora, después de tanto esfuerzo, va a acabar saliendo todo a la luz en casa por la puta manía de los gays de acabar como amigos con sus ex... No, eso no va a pasar. Eso —me repito mientras Gaby le da los últimos gritos, a modo de buenas noches, a nuestro hijo— no va a pasar.

13

—Mamá, me han dado esta nota para ti.

—¿Quién?

—Susana, mi tutora.

Qué agradable sorpresa.

—¿Otra vez? ¿Y qué quiere ahora?

—Ni idea.

—A ver, trae.

En la agenda hay, cómo no, un testamento manuscrito por la tal Susana, en el que se despacha a gusto sobre los defectos y carencias de mi hijo. No es que mi orgullo materno sea especialmente susceptible, pero sí admito que le tengo auténtica aversión a esas epístolas escolares llenas de obviedades y que nunca sé qué tipo de respuesta esperan por mi parte. Adrián lo nota, claro, Adrián nota que me carga todo lo que tiene que ver con sus estudios, con sus exámenes de Biología o con sus trabajos de Sociales. Pero aun así, no cede. No me da tregua. Supongo que es consciente de que ponérmelo difícil es su labor, así que no hay día que no debamos sentarnos para mantener una charla sobre su actitud, o sobre su rendimiento, o sobre cualquiera de las entretenidas notas con que sus profesores amenizan mis tardes.

—¿Vas a contestar?

—¿A ti qué te parece?

Adrián me gruñe —cada día que pasa interpreto mejor su nuevo lenguaje no verbal— y se encierra en su cuarto. No sé si se encierra porque he dicho algo inconveniente y se ha enfadado conmigo o por el puro placer de aislarse de cualquier tipo de amenaza de convivencia familiar. A mí, me encantaría poder hacer lo mismo. Dar un portazo y alejarme de todo. Y de todos.

«¿Nos vemos mañana?».

Recibir un whatsapp de un posible amante mientras escribes a la tutora de tu hijo es uno de los instantes menos eróticos que puedo imaginar. Me cuesta retomar la identidad de mujer seductora con mi cibernauta desconocido cuando estoy ejerciendo de madre preocupada. No son compatibles.

¿O sí?

«Voy a intentarlo».

«El finde ni siquiera me escribiste».

«El finde es complicado. La vida familiar no deja muchos huecos libres...».

«¿Y mañana? ¿Los días de diario son más sencillos?».

«Depende».

«¿De qué?».

«Del día que sea».

«¿Miedo o logística?».

«Ambos».

¿Para qué mentirle? Debe de haber algún dibujo idiota con el que expresar el caos mental que tengo encima... Las ganas de probar suerte otra vez y, al mismo tiempo, el miedo de empezar algo que pueda pasarme factura después. Nunca me ha gustado jugar a ser una heroína romántica —lo mío es más bien el pragmatismo, lo concreto, todo lo directo— y me daría una rabia inmensa verme convertida, a estas alturas de mi vida, en la versión 2.0 de Emma Bovary.

«No va a pasar nada que no quieras que pase».

«No me da miedo el qué. Me da miedo el cómo».

«Vivo solo».

«Yo no».

«Podrás escaparte...».

«Difícil: trabajo, comida, trabajo, casa-hijo-marido-cena-cama, trabajo».

«Suena triste».

«Suena real».

«Yo puedo ser real».

Escribo. Borro. Escribo. Borro. La putada del whatsapp es que la pantallita da cumplida nota de mis titubeos:

Gaby está escribiendo. Gaby está en línea. Escribiendo. En línea. Escribiendo...

«¿Quieres dejar de borrar ya? Lánzalo, venga».

«Puedes llegar a ser un problema».

«O solo un polvo».

«Un polvo también puede convertirse en un problema».

O no. Puede que no. Puede que pase tan desapercibido para Leo como tantas otras cosas de los últimos meses... A ver, sé sincera. ¿Cuál es la última vez que se ha percatado de algo que no fuera muy obvio? Y eso por no hablar de esta semana. De estos últimos días en los que Leo ya no solo me aburre, sino que, a su manera, ha pasado a inquietarme.

—¿Tiene que ser esa?

—Sí, esa. *Drive*. He leído que es muy buena.

—¿De qué va?

—De un conductor que se ve envuelto en un asesinato.

Leo me miró como si, en vez de una película, le hubiera propuesto someterse en público a un ritual sadomaso.

—No sé... No me interesa.

—¿El qué?

—El tema.

—¿Una de acción y coches? Pero si es de las que a ti te gustan.

—Para nada.

—Coño, Leo, ¿qué te pasa? ¿Es que ahora te va la *nouve-lle vague*?

—No me subestimes.

—Yo no te subestimo.

—Pues no lo parece.

—¿Quieres ver otra cosa? Pues nada, vemos otra cosa. Si de lo que se trataba era de hacer algo los dos solos. Hace un millón de sábados que no nos dedicamos una noche para nosotros.

—No te enfades conmigo, que yo no tengo la culpa.

—¿Entramos o no?

—Mejor vemos otra.

—¿Cuál?

—Menos *Drive*, la que quieras. Elige tú.

Solo había dos salas, así que la elección era fácil. Y dolorosa... Todavía no he terminado de entender qué hacíamos viendo ese melodrama intimista japonés una noche de sábado, pero, cuando salimos de sobrevivir a semejante horror, tampoco me molesté en preguntarlo. Di por hecho que Leo está atravesando una fase extraña —definitivamente, la andropausia existe— y me conformé con irnos a tomar algo a la salida del cine. Hablamos poco, hicimos tiempo para fingir que lo estábamos pasando bien en un local lleno de matrimonios tan aburridos como nosotros y controlé como pude mis ganas de mirar el móvil para enviarle algún mensaje a Hila. Las ganas se intensificaron durante el domingo, pero una llamada de Sandra para irnos de compras —menos mal que hay centros comerciales que nunca cierran: se ve que lo del tedio dominical lo padecemos muchas— me ayudó a contenerme.

Admito que hace tiempo que la conversación entre Leo y yo es más bien insulsa —¿lo anodino es inherente a la vida de pareja?—, pero es que ahora esa conversación se ha vuelto inexistente. Silencios, regresos a deshoras, reacciones extrañísimas como la del cine, días en que ni siquiera está aquí a la hora de la cena... Y que él no esté a la hora de la cena forma parte de esos obstáculos de la logística que no entiende Hila. ¿Cómo voy a quedar con él si tengo que atender a mi hijo? También puedo inventarme un compromiso, con cualquier excusa, para asegurarme de que Leo llegue a las ocho o a las nueve como muy tarde. Una cena con Jorge. Unas cañas con las chicas del trabajo. Una noche de chicas con Sandra, Inma y Lorena...

«¿Será un sí mañana, Gabriela?».

«Intentaré que lo sea».

«Los intentos son solo eso».

«¿No te fías?».

«A ratos».

«Si quieres lo paramos aquí».

«¿Tan rápido te rindes?».

«Eres tú quien pone pegas, Hila».

«Yo he dicho que mañana quiero verte».

«Yo he dicho que también. Pero que yo quiera no significa que yo pueda».

«Haz que puedas».

«Lo intentaré».

¿Pero este qué se cree? ¿Que no me gustaría mandarlo todo a la mierda de vez en cuando? No tiene ni idea. No sé qué coño hago escribiendo a un niñato de treinta y pocos, un crío que se piensa que la vida debe ser un aquí y ahora permanente. Y lo fue, supongo, no sé ya ni siquiera cuándo, pero sé que en mi caso también lo fue.

—¿Me la llevo ya?

—¿El qué?

—Joder, mamá, la agenda.

—¿No puedes hablar bien de vez en cuando, para variar?

—¿Me la das o no?

—Cualquier día me matas de ternura, hijo.

—Mamá, no me amargues.

Mira, eso es nuevo. Ahora también le amargo. Hay que reconocer que la vida familiar tiene momentos fabulosos para apuntalar la autoestima de cualquiera. Le amargo... A su padre no sé qué efecto le causo últimamente, pero por sus silencios creo que ni siquiera llegamos a ese punto de incómoda acidez que sí acusa mi hijo. Quizá Jorge tiene razón, quizá estoy cerrando los ojos para no ver una crisis que no quiero que estalle, o quizá es que si hago que estalle voy a provocar una situación aún peor que la que tengo... Creo que Jorge exagera, que no se da cuenta de que lo único que yo necesito es novedad. Algún balón de oxígeno —¿los balones de oxígenos de treinta y tres pueden ser perjudiciales a mi edad?— con el que olvidarme durante unas horas de lo coñazo que puede llegar a ser la vida diaria.

Pero, para que eso ocurra, es necesario controlar la logística. ¿Me invento una cena con Jorge? ¿Le pido esta noche a Leo que se quede mañana con Adrián para que yo pueda salir con mi mejor amigo? Eso sería muy creíble. Lo habitual siempre resulta verosímil. Además, peor que lo del hotel no me puede salir...

Espero.

14

Mi idea era salir corriendo del hospital. Coger el coche y desaparecer antes de que Hugo se diese cuenta de que aún estaba allí. Pero, por supuesto, el plan no parece funcionar, porque reconozco al tipo que se pelea con la máquina de café y creo poder adivinar quién es la chica que se encuentra a su lado.

—¡Mierda!

—¿Se ha tragado la moneda?

—Sí. Dos veces.

—Ya. Pasa a menudo.

—¿Ah, sí? ¿Trabaja aquí?

—No. Solo vengo a visitar a un amigo. Lleva aquí un par de meses... Tuvo un accidente con la moto y...

¿Realmente este tipo, al que ni siquiera conozco, necesita que yo le dé toda esta información? Vamos, Leo, contrólate.

—Mi hija también ha sufrido un accidente. Un hijo de puta que...

Propina un inmenso puñetazo a la máquina y el café, de puro acojonado, sale sin rechistar. La niña contiene las ganas de llorar —sí, debe de ser su hermana— y él me mira con una expresión en la que no sé dónde empieza la rabia y dónde la tristeza. Yo, entretanto, me pregunto por una décima de segundo a qué viene esto de ponerme a hablar con el padre de mi víctima y dudo —claro que lo dudo— si ha sido una idea oportuna eso de inventar otro accidente más (como si no tuviera suficiente con el de verdad) para el supuesto amigo al que estoy visitando.

—Ojalá lo encuentren. Ojalá encuentren a ese cabrón.

—Papá...

—Ya, Mireia, ya está. —Da a su hija un abrazo del que ella, que parece incómoda, intenta zafarse, y yo, que esto de la criminalidad no acabo de asumirlo, no sé si confesárselo todo de repente o si limitarme a darle la razón para que, al menos, no se sienta tan solo en su desgracia.

—Espero que lo encierren. Por lo que le ha hecho a su hija, digo.

—Tenemos que subir.

—Sí, claro. Yo voy a despedirme de mi amigo.

¿Accidente de moto? Mi amigo podía haber sido operado de algo. No sé, de cualquier cosa. O trabajar allí como enfermero. Eso es, podía haber ido a visitar a mi amigo enfermero. Pero no, mi amigo está internado por un accidente de moto... A veces no tengo claro por qué digo cosas como esa. ¿De veras es necesario arriesgar más? ¿Qué pretendo averiguar volviendo aquí? Ya los he visto, ya sé quiénes son y he comprobado cómo se sienten. Y son, ante todo, peligrosos. Él, porque se le ve tan fuerte que podría tumbarme de un solo golpe. La hermana pequeña, porque su dolor y su mirada de angustia podrían hacerme confesar. Y la madre, porque su silencio digno y doloroso podría despertar, para mal, mi conciencia. No, este no es un movimiento sensato, no puedo pretender acercarme a la familia de la víctima para intentar perdonarme por algo que ha sucedido. Algo que nadie podrá cambiar jamás.

Ahora sí, cojo el coche y, por supuesto, vuelvo a encontrarme con Hugo justo cuando me faltan solo un par de metros para abandonar el hospital. Dos metros y habría estado fuera de su foco. De ese maldito foco con el que siento que me está interrogando ahora mismo.

—¿Qué tal viste a tu amigo?

—Mal, muy mal.

—Pero si el otro día decías que iba mejor...

—Eso creía yo. Pero nada, va mal. Va fatal.

—¿Tan grave es?

—No, no es que sea grave. Es que no evoluciona.

—¿Pero qué ha sido?

Sms. Suena un sms —nunca he agradecido tanto que el móvil me interrumpa— y le pido perdón a Hugo porque tengo que contestar este urgentísimo mensaje en el que me informan de que en no sé qué tienda de electrónica me hacen el veinte por ciento de descuento durante esta semana.

—Es Gaby. Tengo que llamarla ahora mismo. Algo de Adrián, parece.

—Vaya, hombre, que no sea nada. Menuda racha.

Si tú supieras...

—Hablamos, Hugo. Y suerte con tu caso.

—La voy a necesitar. El cabrón ese ha cubierto bien sus huellas. Pero yo no soy de los que dejan las cosas a medias. Ya me conoces.

—Haces bien.

—Además, este caso ha llamado mucho la atención de los medios y, quién sabe, si lo resuelvo, a lo mejor no solo le damos lo suyo a ese hijo de puta, sino que yo también me llevo alguna medalla de mis jefes. No me vendría nada mal, la verdad. Desde que les ha dado por pagar la crisis bajándonos el sueldo, estoy medio asfixiado...

—Seguro que lo logras.

—Eso espero, Leo. Me cabrea mucho que ganen los malos.

Hay que joderse. Le han asignado mi caso al único policía tenaz de todo el cuerpo. Y, encima, ahora resulta que ve en él una posibilidad de ascenso. Genial, eso era lo último que me hacía falta... ¿No podía haber caído este asunto —que no deja de ser un accidente: a ver, repite conmigo, ac-ci-den-te— en algún comisario desidioso? Pues no, me ha tenido que tocar el puto Sherlock Holmes de Chamberí, como si no tuviera bastante ya con callar las voces y las pesadillas y toda la mierda que no controlo desde el atropello, ahora también tengo que preocuparme de que Hugo no descubra nada que lo traiga hasta mí...

—Hasta pronto.

Me dispongo a salir cuando veo cómo la niña de antes, la misma que estaba a punto de romper a llorar junto a la máquina del café, me hace un gesto de despedida con la mano desde la puerta de entrada al hospital. Debo de haber calculado mal y lo que yo pretendía que fuera un gesto simplemente cortés se ha interpretado como un instante más bien empático, porque la cría me mira con una ternura que me desarma y que me hace pensar en que mi castigo —si es que puede llamarse así— aún está por llegar.

—Adiós, Mireia.

El móvil vuelve a sonar justo cuando arranco. Pero esta vez no es ninguna oferta comercial. Esta vez es Gaby preguntándome si voy a cenar en casa. Desde el lunes del accidente está rarísima. Por no hablar del episodio del cine de este fin de semana, y de su obcecación por llevarme a ver una película ¡de coches! Joder, de coches. Justo lo que a mí me hacía falta... No sé si es que intuye algo —tampoco creo que mi recién inventada pasión por el cine japonés fuera una gran coartada—, pero me mira de una forma peculiar. O a lo mejor no es eso. A lo mejor es que le ha dado un ataque de convivencia y de pareja y de esas chorradas que le dan cuando su amigo Jorge le come la cabeza y me la vuelve mística. Sí, a lo mejor por eso últimamente me mira como me mira y me habla como me habla...

A ver si en algún semáforo puedo responderle y teclear un sí, aunque hoy lo que en realidad me apetece decirle a Gaby es un rotundo no.

15

—No me va bien. Mañana tengo...

—¿Qué?

—Ceno con unos clientes.

—No me lo habías dicho, Leo.

—Lo he sabido hoy, cariño.

—¿Antes o después de que yo te pidiera que te quedaras con tu hijo?

—Nuestro hijo.

—Nuestro cuando te viene bien.

—¿A qué viene esto ahora, Gaby?

—Entonces, ¿qué?

—Que mañana no puedo.

—No quieres.

—Gaby, por favor, no te obceques. Puedes quedar con Jorge otra noche. Pero justo mañana...

—Es nuestro aniversario.

—¿Vuestro qué?

—Una tontería nuestra.

—De Jorge, supongo.

—No te cae bien.

—No.

—¿Y por eso te inventas una cena?

—No me la invento, Gaby. Tengo una cena con un par de clientes.

—¿Quiénes?

—¿Pero esto de qué va?

—¿Quiénes son tus clientes?

—Son dos peces gordos de IBM. ¿Contenta?

—Muchísimo.

—Queda con Jorge el viernes.

—Nuestro aniversario es mañana.

—Eso es una gilipollez.

—¿Hay algo mío que no te lo parezca?

—Gaby, no saques las cosas de quicio... Gaby... Gaby... ¡Gaby!

Siempre he querido hacerlo. Salir de casa sin dar ninguna explicación y meterme en el coche a dar vueltas por la ciudad. Reflexionar sobre mi vida. Tomar decisiones trascendentes y regresar a casa cambiada para siempre y dispuesta a afrontar el futuro con una energía que no sabía que pudiera llegar a alcanzar...

Un bonito planteamiento si, antes de salir de casa hecha una furia, se tiene la precaución de coger el bolso con las llaves del coche, con la cartera y hasta con el móvil. Sí, un plan tan teatral utilísimo si una da el portazo cuando está vestida con la ropa adecuada, cuando lleva el maquillaje necesario —no se puede jugar a ser Betty Draper sin el atrezo imprescindible— y cuando una se acuerda de coger el abrigo o la chaqueta o hasta un simple chal con el que echarse a la calle en pleno enero a rumiar venganzas y tiempos de cambio.

El plan, lo admito, es una mierda cuando se es tan impulsiva como yo. Cuando se da el portazo sin coger ese bolso, ni esas llaves, ni ese móvil, ni ese abrigo, de modo que salir a la calle —apenas dos grados— es poco menos que un suicidio o, y eso no es discutible, una estupidez.

Así que, como no tengo muchas más opciones y no quiero renunciar tan pronto a mi ataque de ira, me acomodo en el portal y decido que voy a aprovechar para escribirme un rato con... Ah, no, que tampoco tengo el móvil. Bien. Pues me acomodo en el portal y decido que voy a contar los minutos que soy capaz de aguantar aquí, aburrida como una ostra, para que Leo se asuste, reaccione y me pida perdón.

Como en el portal hace frío porque no paran de entrar y salir las decenas de estudiantes de Erasmus que comparten piso en este bloque —desventajas de vivir tan cerca de la Ciudad Universitaria—, me planteo las dos opciones que se abren ante mí. La primera es dejarme morir congelada —a falta de unas tolstoianas vías del tren— en esta escalera y la segunda es dar por zanjada mi huida y considerar que los cinco minutos que he sido capaz de aguantar aquí han bastado para dar un giro rotundo a mi matrimonio. Como la primera de las opciones, pese a lo literario del momento, me da cierta pereza, decido acogerme a la segunda y entro en el ascensor dispuesta a mostrarme fría, tanto como esta noche invernal, cuando Leo se arrepienta de su egoísmo.

Llamo al timbre. Vuelvo a llamar al timbre. Sigo llamando al timbre... Y, tras casi fundirlo, es Adrián quien me abre la puerta y me mira con esa condescendencia adolescente que nunca logro entender del todo.

—¿Qué haces, mamá?

Mi momento de dignidad exige no responder a mi hijo, pues corro el riesgo de desviar mi foco de atención y ser más suave con Leo de lo que su conducta merece. Él, para mi sorpresa, ni siquiera se levanta del sofá. Está absorto en su ordenador —leyendo, parece— y apenas levanta la vista cuando entro.

—¿Se te ha pasado ya, Gaby?

Cómo no. La técnica de siempre: él no ha creado el problema, soy yo quien se enfada por un problema que no era tal. Conclusión: el problema soy yo. A su manera, el silogismo tiene algo de becqueriano —solo que en vez de preguntarnos qué es poesía, nos preguntamos qué es un conflicto— y siempre deducimos que el conflicto soy yo.

—La próxima vez, mejor nos ahorramos el numerito.

—La próxima vez, Leo, a lo mejor no vuelvo.

—Venga, cariño, no te pongas así.

—Me pongo como me da la gana.

—¿Tan importante es?

—¿El qué?

—Esa cena con Jorge...

—Mucho. Es nuestro...

—Aniversario. Sí, eso ya me lo habías contado.

—Sabes que es un sentimental.

—¿Jorge? Sí, claro. Y un cursi de cojones.

Puedo seguir discutiendo con Leo o puedo ignorar sus descalificaciones a mi amigo y quedarme con la noche que ahora parece que, a su manera, hasta me está ofreciendo. Y, como no quiero irme a la cama con la sensación de que casi muero congelada inútilmente, obvio su último comentario y le agradezco que sea tan generoso. Y que haya sabido reflexionar a tiempo.

—Anda, llámale y dile que sí que puedes ir. Ya me quedo yo en casa.

—Lo necesito, Leo.

—Mañana cancelo lo de mi cena... Solo espero que no les siente mal. Nokia es uno de nuestros grandes clientes.

Habría jurado que los clientes eran de otra empresa, pero confieso que cada vez presto menos atención a ciertos datos prácticos. Sobre todo cuando son los datos del trabajo ajeno. El de Leo, el de Jorge, el de mis amigas. No me importa cuál. Si tienen anécdotas jugosas, de acuerdo, que las compartan. Pero si solo tienen más miserias cotidianas prefiero que se las guarden para sí, que bastante —por cierto, mañana debo llamar sin falta a Lara— tengo yo con las mías.

«Logística: vía libre».

«¿Y miedo?».

«Despejado».

«¿Entonces, ¿es un sí, Gaby?».

«Por supuesto. Es un sí».

16

—En dos días lo tienes.

—¿No puede ser antes?

—Te estoy diciendo que vas a poder recoger tu coche antes de lo previsto, Leo. Deberías alegrarte, ¿no?

—¿Y lo habéis dejado bien?

—¿Perdona?

—Que si lo habéis dejado bien, Manu. A ver si ahora, con las prisas, me lo vas a devolver con alguna chapuza.

—Qué manera más alucinante de darme las gracias.

—Coño, no seas tan suspicaz.

—¿Yo? ¿Suspicaz? Venga, hermanito, vete a la mierda.

¿Es necesario colgar así? ¿Gritar así? ¿Enfadarse así? Empiezo a estar harto de que mi entorno haya decidido que la mejor manera de relacionarse conmigo es a hostias. Porque entre una que da portazos y el otro que se enfada por todo, empiezo a sentir que se me agota la paciencia. Y se me agota porque no puedo avanzar si no me dejan un poco de aire. No se me puede pedir que controle la situación si siguen empujándome para hacerme perder el equilibrio. Da la impresión de que eso, precisamente eso, es lo que buscan: que pierda el equilibrio.

—Ha llegado este paquete para ti.

—¿Para mí, Gonzalo?

Yo no suelo recibir paquetes de nadie. Ni en la oficina ni fuera de ella. No hago compras *on line.* No envío postales desde hace siglos. No pido ni hago regalos que requieran un envío postal. Por eso, esta mañana, sabía que ese paquete no podía ser para mí.

—No tiene remitente.

—Lo han enviado así.

—Ya.

No me gustan las cosas anónimas. Prefiero que tengan una identidad, aunque sea de mentira. Con las mentiras me puedo llegar a sentir hasta cómodo. Pero con los interrogantes, jamás.

—¿No vas a abrirlo?

—Luego.

—Como tú quieras, Leo.

No pensaba abrir un paquete que no era para mí delante de nadie. Y mucho menos delante de Gonzalo, el único compañero capaz de hacer circular un rumor por todo el banco a la velocidad de la luz.

«No te olvides que hoy te ocupas tú de la cena de Adrián. B».

La que faltaba. El mensajito-recordatorio número 1. Luego vendrán el número 2 —qué tengo que ponerle, dónde tengo que cogerlo, hasta en qué estante del frigorífico está guardado— y, por el último, el número 3 —cómo tengo que prepararlo, cuántos minutos ha de ir al microondas y en qué momento de la noche me toca servirlo—. Todo pautado como para tontos, como si sin toda esa sapiencia universal sobre la compleja ciencia del tupper yo no pudiera garantizar la supervivencia nutritiva de mi hijo. O como si incluso estando fuera, Gaby sintiera la necesidad de castrarme —¿no es eso a lo que se dedica toda esta generación de mujeres, joder?— y de hacerme sentir más idiota de lo que soy.

—¿Qué había?

—¿Qué había dónde?

—En el paquete.

—Ah, claro. En el paquete... Nada, Gonzalo, nada.

—¿Te han enviado un paquete con nada?

—Me han enviado un paquete con un libro.

—¿Y a ti desde cuándo te gusta leer?

—A mí, de siempre. Lo que pasa que yo no voy por ahí dándomelas de nada, pero a ver si te crees, Gonzalo, que todos somos unos bestias como tú.

—Qué cabronazo que eres.

—Anda, vamos a comer, ¿no?

—Vamos.

¿Un libro? No exactamente, en la caja había un cuaderno de tapas negras —uno de esos moleskines que tanto le gustan a Gaby— con una frase absurda en su primera página: «Nada queda impune».

No sé quién ha escrito semejante estupidez —¿a qué se refieren?—, pero lo que sí tengo claro es que ese alguien está, cuando menos, desinformado. ¿Que nada queda impune? Supongo que los chantajistas no prestan la atención que deberían a la actualidad nacional. Ni a la internacional. No cuando la impunidad es el signo de nuestro tiempo. Claro que yo no soy tan experto como otros, ni tengo la tradición familiar y política de algunos, pero aprendo deprisa, sí, mucho, y no pienso dejar que nadie pueda culparme de algo que arruinaría mi vida. Y la de Gaby. Y la de Adrián. No pienso permitir que un cobarde anónimo me asuste. No es más que eso. Un acto infantil de alguien que quiere jugar a convertirse en vengador. Alguien que, con un poco de suerte, seguro que es tan inexperto en la extorsión como yo en el asesinato.

—¿Te vienes o no?

—Un segundo, Gonzalo. Voy a por una cosa.

Rescato el sobre de la basura —como criminal no soy muy atento, pero está claro que como detective parece que tampoco— y compruebo que, según el matasellos, el envío viene desde Londres. El dato me desconcierta un poco y me genera una inquietud que no sé si es muy buena precisamente ahora.

—¿Has visto esto? —Gonzalo me señala un titular en la sección de noticias locales de *El País*—. Parece que la policía ha dado con algunas nuevas pistas en el caso de Alba.

—¿Alba?

—Macho, estás agilipollado hoy... Alba, la quinceañera esa a la que atropelló un cabrón que se dio a la fuga.

—¿Y por qué tuvo que ser un cabrón? A lo mejor fue una cabrona.

—Lo dudo. Las tías, en estas situaciones, tienen más conciencia y más sangre fría que nosotros. Bueno, y si me apuras, hasta más cojones.

En el periódico, una foto de los padres de la víctima. Puedo reconocerlos enseguida. Me esfuerzo, no sé si con mucho éxito, por disimular el escalofrío que esa imagen me provoca.

—Sí que estás tú filosófico esta mañana, Gonzalo.

—Ya ves, y eso que yo no leo.

—Déjate de coñas, anda.

—Al padre lo conozco.

—No jodas.

—Fue cliente mío. En la otra sucursal.

—¿En serio? Qué memoria, Gonzalo.

—Fotográfica. Para las caras y para los números soy un puto crack.

—Vámonos a comer de una vez.

Salimos al restaurante que está justo al lado del banco, pero, por supuesto, no consigo que me pase ni un bocado. En mi cartera, un anónimo que me acusa de algo que quizá ni siquiera sea lo que yo creo que es —a veces, tantas capas de mentiras hacen que pierda el contacto con la realidad— y, encima de la mesa, un periódico en el que se sugiere —no, no sugieren: afirman— que nuevas pistas de mi crimen —joder, que no fue un crimen, que fue un accidente— están cada vez más cerca de salir a la luz.

17

En su casa.

Dudo de si es la opción más inteligente, aunque, a priori, parece la menos complicada. ¿Y si resulta que, fuera de la pantalla, no es lo que parece ser? ¿Y si resulta que se trata de un tío violento, o con gustos extraños, o hasta peligroso? Estoy deseando que mi fantasía se haga realidad, pero me da miedo que lo que me encuentre diste mucho de lo que imagino.

«No querías discreción?».

Quería discreción, sí, pero no sé si quiero sentirme acorralada. No sé si me apetece que la aventura —¿lo llamo *affaire?*, ¿si lo llamo *affaire* suena mejor?— transcurra en un espacio que no domino. Prefiero lo neutral, lo que no es de nadie. En eso —como en tantas otras cosas— creo que soy un poco gata. Necesito mi lugar, mi entorno, mis propios límites. Y por eso no acaba de gustarme la idea de irme al piso de Hila.

«¿De verdad no puedo llamarte de otra forma?».

«No me gusta que me reinventen. Yo no lo haré contigo».

Tampoco sé qué es lo que sí va a hacer. Pero no lo pregunto. No quiero que haya más datos. Ni más precisiones. Cuanto más concreto se hace todo esto, más miedo me da y más riesgo siento que corro de matar el misterio. Total, lo de quedar en su casa puede que sea, en el fondo, una enorme ventaja. Si no me gusta cómo es, ni siquiera estaré obligada a entrar. Puedo limitarme a decirle no, gracias, en el umbral de su puerta. A darme la vuelta con elegancia y dejarlo allí, con un par de narices, sin sentir mayor remordimiento que el que siento ahora mismo por haber tenido que mentir a Leo.

No me gusta. No, no lo soporto... Nunca me ha gustado que me mientan y por eso mismo también detesto hacerlo yo. Bastante miento ya en mi trabajo. Bastantes estupideces les digo a los cantantes, a sus agentes, a los promotores, a los periodistas, a todos cuantos pasan por allí pidiendo, ofreciendo o vendiendo algo. Bastante mentira ha traído consigo a mi vida el éxito profesional —¿puede llamarse éxito?, sí, claro que sí, Gaby, créetelo de una vez— como para seguir perdiéndome en ella en mi tiempo libre.

—¿Has hablado con Lara?

—Aún no, Alejo.

—Hazlo.

—¿Yo?

—Es mejor que seas tú, Gaby.

—¿No te parece que...?

—Me parece que lo adecuado es que seas tú quien le haga ver las cosas como son. Es contigo con quien tiene más confianza.

—Pero tú eres el último responsable.

—Y por eso mismo le dolería más. No podemos ser tan crueles con ella, Gaby.

No, pero sí pueden ser muy crueles conmigo. Tanto como para arrebatarme los momentos buenos —no soy yo quien va a ciertas entregas de premios, no soy yo quien preside ciertos homenajes, no soy yo quien se encarga de ciertas giras apetecibles o de ciertos eventos en lugares a los que me encantaría escapar— y entregarme, sin ningún tipo de compasión, los momentos malos —sí soy yo quien despide a quienes no trabajan como se esperaba de ellos, quien cancela los contratos que son un lastre para la discográfica, quien anuncia las malas noticias y da la cara ante ellas. Esta vez, con Lara, será también así. Me toca a mí llamarla, decirle que el disco no funcionó bien, que la gira se ha parado, que no han salido más bolos y que el nuevo trabajo va a tener que esperar... Me morderé los labios para no decir «indefinidamente», y procuraré que todo transcurra en los cauces de la cortesía y la normalidad, a ser posible a distancia y por teléfono, porque si quedamos para un café corro el riesgo que de que, como ya me ha pasado con alguna que otra estrella venida a menos, me lo tire encima.

—No lo va a entender.

—Tendrá que hacerlo.

—Es demasiado joven. Sabes que cuando suben tan rápido se vuelven intratables. Imagínate lo que debe de ser pasar de cantar ante miles de personas enloquecidas con tu primer disco a que no te haga caso nadie.

—Con eso ya contaba cuando se metió en esto, Gaby.

—Coño, Alejo, nadie cuenta con eso. Nadie cuenta con el fracaso cuando le va bien. Y menos si tienes ¿cuántos? ¿Veintidós? ¿Veintitrés?

—Que madure.

—Díselo tú, anda. Yo esta semana no me encuentro muy...

—¿Qué te pasa que estás tan sensible esta semana? ¿Es la regla o la menopausia?

—No seas cabrón, ¿vale?

Ya está. Ya salió. Y eso que Alejo no es, a su manera, un tío misógino. Está claro que no puedo bajar jamás la guardia. Tengo que tragar bilis y soportar toda la mierda que quieran echarme encima, porque si muestro un ápice de debilidad seré juzgada y cargada de tópicos y de prejuicios que hasta un tío supuestamente moderno es capaz de enarbolar con una soltura alucinante.

—Habla tú con ella, Gaby. Dile lo que quieras. Ya sabes, miéntele.

Eso lo hacemos bien, ¿verdad? Mentimos al público vendiendo música infame en envases prefabricados. Mentimos a quienes están dentro de esos envases haciéndoles sentir imprescindibles para que gire una rueda que se podría mover sin ellos. Una rueda donde todo —salvo el márketing— es perfectamente sustituible. Y nos mentimos a nosotros mismos para creernos que nuestro trabajo forma parte de la industria de la música. Más aún, de la cultura. Pero nuestro trabajo cada vez se parece más a un tugurio cutre de karaoke.

—Está bien, Alejo. Le mentiré.

Y eso, exactamente eso, es lo que pienso hacer. Mentirle a Lara cuanto haga falta para conseguir mi objetivo sin herir, en exceso, su autoestima. Pero, como diría Escarlata —no sé por qué no he nacido en alguna hacienda sureña en plena Guerra de Secesión—, lo haré mañana. Esta noche no. Esta noche, según como sea el hombre que me abra la puerta, entraré o no en su apartamento. Me quitaré o no la ropa. Y haré o no el amor con él. Esta noche no voy a dejar que el miedo me venza. Ni la inseguridad. Esta noche me he prometido que disfrutaré al máximo de lo único que me ha llevado hasta Hila.

El morbo.

18

Tras ver con Adrián tres episodios seguidos de *CSI*, he llegado a la conclusión de que solo es cuestión de tiempo que den conmigo.

A mi hijo ni siquiera le ha llamado la atención que me haya quedado prácticamente sin habla en medio de uno de los capítulos —uno en el que alguien atropellaba a otro alguien y, por supuesto, averiguaban su identidad—, supongo que porque a los adolescentes les falta esa capacidad que sí tenemos los adultos de darnos cuenta de lo que les ocurre a los demás. Una capacidad que, estos días, tampoco creo que esté activada en Gaby.

Hasta ahora no he tenido grandes problemas para ir camuflando mi vida real con la vida que realmente querría tener. La vida que sí vivo con la vida que invento. Y que me cuento, a menudo, a mí mismo. Pero esto es diferente. Esto tiene que ver con huellas, con investigaciones policiales, con pistas y con posibles condenas que, si no soy capaz de evitar, puede que acaben haciendo saltar ambas vidas. La de verdad y la inventada, por los aires.

—¿Mamá también llega tarde hoy?

—Sí. Se ha ido a cenar con Jorge.

—Ah.

Adrián se encierra en su cuarto —a estudiar, a chatear, a dormir, yo qué sé— y yo aprovecho el rato a solas para pensar qué demonios voy a hacer con todo esto...

¿Presiono a Hugo para conseguir algo más de información? Lo malo es saber cómo... Ahora, todo movimiento que haga en su dirección, podría ser sospechoso. ¿Qué narices puede querer de él el marido de la mejor amiga de su exnovio? Un simple sms ya resultaría casi ridículo. Y, por otro lado, a mí eso de hacerme el encontradizo tampoco se me da demasiado bien. Tendría que pensar en qué lugar podría localizarlo por azar, entendiendo el azar como la técnica de hacer todos los esfuerzos posibles por verle tan a menudo como a mí me convenga. Siempre me pareció un tipo simpático, sí, pero poco sutil, así que quizá no sea tan difícil sonsacarle si se me ocurre pronto dónde me lo puedo cruzar. A fin de cuentas, Gaby es mucho más perceptiva que él —o eso creo yo— y, sin embargo, lleva años creyendo todo cuanto digo. Y cuanto invento.

—Hace mucho que no quedamos con David y Julia.

—¿Por?

—No, Leo, por nada.

—Lo habrás dicho por algo.

—Tú ya sabes que a mí Julia no me entusiasma... Su rollo de madre perfecta me saca de quicio. Es como si nadie más que ella hubiera tenido nunca un hijo...

—¿Y entonces, Gaby?

—Él era tu mejor amigo...

—¿Y?

—Quizá no todo haya sido como tú crees que ha sido. Quizá sí podáis arreglar las cosas...

—Lo dudo.

—Puedo organizar una cena en casa.

—¿Y ese interés tan repentino? Te recuerdo que él te pidió que lo dejaras en paz. Y su mujer ni siquiera te devolvió el último mensaje que le enviaste.

—Lo sé, pero me cuesta entenderlo... A lo mejor alguien os envenenó a los dos.

—No me apetece forzar a nadie a nada. Soy muy orgulloso para eso, Gaby.

—David me caía bien, ya lo sabes. Si hace falta, por arreglar las cosas entre vosotros dos, hasta estoy dispuesta a soportar por enésima vez el discurso de la mujer que lo dejó todo por su hijo...

—Qué pereza.

—Sí, Leo, Julia sí da pereza. Pero él...

—Él es una máscara, Gaby. Y ahora que se la ha quitado, no lo quiero en mi vida.

Entonces volví a detallarle las sucias tácticas que David había empleado contra mí. No sé, puede que esta vez yo adornara aún más mi relato y, por qué no, hasta que redujera mi implicación en los hechos, pero era necesario cortar de una vez cualquier nexo entre David y mi mujer para evitar que el pasado pudiera hacerse presente otra vez. Y sin avisar. Por si acaso, y como no acabo de fiarme de la capacidad de mi mujer para reprimir ciertos impulsos, borré en cuanto pude el móvil y el e-mail de David y Julia de la agenda de Gaby. Estoy seguro de que no se ha dado cuenta de esa minúscula supresión, a fin de cuentas, yo siempre he sido el único nexo entre las dos parejas y no creo que se intercambiaran los teléfonos más que por pura y rutinaria cortesía. No puedo decir que disfrutara manipulando el móvil de Gaby, pero admito que dormí mucho mejor cuando supe que ya no podría obtener de David otra visión, distorsionada y capciosa, de nuestra historia.

Lo que ahora no tengo tan claro es que pueda mantener esa misma coraza de verdades a medias con el resto de mi entorno. Y no sé si esa duda tiene que ver con el miedo que me dan las consecuencias (condena, cárcel, humillación y hasta defenestración mediático-social) o con la carga que empiezo a sentir que me acompaña. De todos los cadáveres que guardo en mi conciencia, este último es el que se obstina, de manera más rebelde, en no esconderse. Y sale a la luz en cada pesadilla. En cada madrugada. En cada instante en el que me descuido y creo que todo está bajo control. Como ahora, con una puta americanada, con el simplón del Grissom y de su cuadrilla. Y casi me rompo —de miedo o de culpa, yo qué sé— y me echo a llorar aquí mismo, junto a mi hijo, mandando a la mierda en un solo segundo toda una vida construida tras cuarenta y nueve años de tesón y de esfuerzo. Cuarenta y nueve años construyendo un yo que una noche lluviosa amenaza con corromper. Con hacer de él, de mí, su víctima. Eso, al menos, sí lo tengo claro. Que yo aquí soy la víctima, el perseguido, el acosado, por culpa de un destino trágico que nadie se para a analizar con la suficiente perspectiva.

Antes de que las pruebas me condenen, tengo que conseguir hablar con Hugo. Cuantos más datos reúna sobre la historia de Alba, mejor podré ir preparando mi defensa. Mis coartadas. Antes de que algún científico enloquecido analice las huellas de mis neumáticos —¿dejarán huellas los neumáticos en una noche tan lluviosa como aquella?—, antes de que algún policía sabelotodo descubra una prueba circunstancial que me incrimine —¿las pruebas circunstanciales incriminan?—, antes de que mi vida se convierta en el desenlace previsible de un episodio igualmente previsible del siempre previsible *CSI*.

Otra opción es volver al hospital. Acercarme de nuevo a la familia y sonsacar a la hermana pequeña. Hablar con Mireia y aprovecharme de esa tímida confianza que pareció querer mostrar conmigo cuando fui allí. Podría, de paso, intentar limpiar así parte de esa mancha que siento que me obsesiona desde el maldito lunes. *Bloody monday. Bloody week. Bloody life.*

—¿Qué tal el libro?

—¿Qué libro, Gonzalo?

—El que te han mandado hoy.

—Ah, bien.

—¿Cuál es?

—¿Qué?

—El libro, ¿que cuál es?

Como si yo anduviera sobrado de referencias en este tema... Además, ¿a qué cuento venía tanta curiosidad? Normalmente, cuando comemos juntos, hablamos de otras cosas. De libros, ni de coña... Otra vez me ha tocado improvisar.

—Novela negra.

—¿De misterio?

—Joder, Gonzalo, la novela negra es siempre de misterio.

—¿Y quién te lo manda? ¿Alguna admiradora?

—No seas capullo.

—A ver si ahora nuestro Leo va a ser un seductor.

—Déjate de chorradas.

—¿Me lo pasas?

—¿El qué?

—Coño, el libro. La novela negra me divierte mucho.

—¿Estás de broma?

—No. ¿Por?

—No sabía que te gustara tanto leer.

—Solo de vez en cuando, Leo. Y solo novela negra. Lo demás me aburre mortalmente.

—Vale, mañana te lo traigo.

—¿Y por qué no me lo das ya?

—Joder, qué prisas. ¿Te lo vas a leer esta noche?

—Hombre, esta noche no.

—Pues por eso. Mañana te lo doy. Anda, pide la cuenta.

El libro para Gonzalo... ¿Y cuál le llevo? No puedo descuidar ni un solo detalle. Es más, creo que debería plantearme la opción de llevar un listado de Excel con cada una de las afirmaciones comprometidas que hago. Una tabla con dos columnas: lo que realmente me pasa y lo que cuento a los otros que me pasa. O eso o me cuido de no olvidar nada de lo que digo, porque convertir un cuaderno con una nota anónima —«Nada queda impune»— en una novela negra es una inspirada metamorfosis, pero también una nueva temeridad que me exige, cada vez que abro la boca, una mayor dosis de memoria... Cojo al azar uno de los Mankell de Gaby y confío en que ella tampoco note su ausencia, a fin de cuentas, sus estanterías están tan atestadas de novelas que dudo que se ponga a buscar este volumen precisamente ahora.

Que Gaby no quiera llamar a David, que no sienta la tentación de mandarle un sms a Julia, que no le dé por releer este título de Mankell, que no le pregunte a Jorge por Hugo, que no... De repente, todo mi futuro se sustenta en una suma de frágiles hipótesis y, sobre todo, de movimientos del azar que están en manos tanto de mi prudencia como de la buena o mala suerte que los dirija. Y yo odio que algo dependa del azar. Odio lo que no se puede manipular. Lo que no es matemático ni controlable. Por eso me gusta mi trabajo en el banco. Por eso me interesa la economía. Porque las cifras nunca dependen de la casualidad. Las cifras son pura aritmética. Y si no cuadran, se pueden forzar. La economía admite la manipulación, la intervención interesada, el control absoluto de quienes mueven hilos que dicen, a veces, ignorar. Por eso, de repente, me hace sentir idiota y vulnerable ver que estoy, en parte, controlado por factores que no son aritméticos, sino arbitrarios. Factores que, como todo lo que tiene que ver con la suerte, siempre acaban convirtiéndolo todo en un maldito caos.

Tan embrollado como el montón de periódicos que acabo de desplegar en el suelo del salón. La una de la madrugada. La una y yo aquí todavía, incapaz de dormir (mierda de culpa), y buscando nuevos datos sobre el accidente en esta hemeroteca improvisada. Solo espero que hoy Gaby llegue realmente tarde, que su cena con Jorge se alargue más que nunca, porque no me apetece que mi mujer me encuentre aquí, ni que me pregunte qué estoy haciendo, ni verme obligado a inventarme algo más. Esta noche ya no.

Lo malo es que en la prensa no encuentro nada aparte de lo ya conocido. Necesito una fuente directa... Tengo que averiguar cómo acercarme a Hugo. De qué manera puedo manipular el azar para convertirlo en axioma. Y seguro que se me ocurre alguna manera, porque llevo años haciendo eso mismo con las cifras. Con las inversiones. Con todo lo que hemos hecho explotar hace nada. Todo lo que sabíamos que iba a explotar antes que nadie... Por eso nos protegimos bien. Para que la mierda les salpicara a los otros. A los que no éramos nosotros... Y ahora tengo que conseguir hacer eso otra vez. Protegerme antes de que suceda... Y la clave está en Hugo. O en Mireia. O en los dos, no lo sé. Este es un cadáver demasiado rebelde como para jugarlo todo a una sola carta.

De momento, y si me centro en Hugo, creo que lo más urgente es saber dónde puedo localizarlo fácilmente. Gustos, hábitos, costumbres... Y está claro que esa información sí que puedo obtenerla pronto y de una fuente, hasta cierto punto, bastante fiable.

Elemental, querido Leo: tienes que hablar con Gaby.

19

—¿Manu?
—¿Está ahí mi hermano, Gaby?
—No, hoy sale más tarde del banco. Llámalo allí.
—Acabo de hacerlo y me han dicho que hoy no ha ido.
—¿Estás seguro?

—Y el móvil tampoco me lo coge.

—¿Quieres que le diga algo?

—Solo que ya lo tiene.

—¿Que ya tiene el qué, Manu?

—Su coche.

—¿Su coche?

—Sí, dile que ha quedado muy bien. Que se pase mañana. Y que tenga más cuidado con las columnas la próxima vez.

Se ríe, Manu se está riendo, y yo detesto que la gente se ría conmigo sin que yo tenga la más remota idea de qué.

—Claro, se lo digo.

Y yo también me río, porque aún soporto menos dejar en evidencia que no sé nada de algo que, como parece obvio, sí debería saber.

Al menos, tanta omisión en Leo me permite darme una tregua después de lo de anoche... Esta mañana no me ha contado que hoy no iba a la oficina —aunque, con nuestro nivel de comunicación actual, lo sorprendente sería que me lo hubiese dicho— y tampoco me ha mencionado nada de lo del coche y la columna. Supongo que por puro orgullo masculino, a fin de cuentas, conducir es una de las pocas, si no la única, habilidades de Leo que jamás le he podido poner en tela de juicio. Tal vez por eso, para no darme argumentos contrarios, ha preferido no decirme nada. O quizá ni siquiera se haya planteado algo así, quizá es que, como me pasa a mí, obviamos contarnos detalles cotidianos para no aburrirnos y detalles trascendentes para no agobiarnos. La pregunta, claro, es de qué narices llevamos hablando estos últimos años...

Sé que es una pequeña maldad, pero me gustará ver su cara cuando tenga que explicarme por qué no me ha dicho nada de ese golpe con la columna o de lo que haya sido que le ha pasado con el coche. Me apetece ver qué expresión pone cuando le pregunte, observar cómo reacciona y qué explicación me da para un silencio tan infantil, casi tan adolescente como los de Adrián cuando no quiere contarnos algo.

En el fondo, no me importa gran cosa que no haya compartido conmigo semejante trivialidad, pero me vendrá bien tener algo para desviar su atención y, sobre todo, mi conciencia. Desde ayer por la noche no me deja en paz. No tanto porque me sienta culpable —nunca me ha gustado magnificar nada—, sino porque me parece que me van a descubrir en cualquier momento.

La histeria comenzó nada más salir de su piso, en cuanto Hila cerró la puerta y me metí en el ascensor. Me sentía vigilada, como si todo el mundo se hubiese confabulado a mi alrededor para mirar, en ese mismo momento, quién salía de allí. Me marché en un estado que tenía más de paranoia que de excitación y, para colmo, no me fue nada fácil encontrar un taxi por su zona a esas horas. Mientras esperaba, me prometí que no volvería a tener un *affaire* —sí, suena mucho mejor si se dice así— con nadie que no viviera en el centro, porque la logística se hace extremadamente difícil en la periferia.

Podría haberme inventado una excusa para llevarme el coche, claro, pero Leo sabe que nunca conduzco cuando salgo de cena porque, en realidad, la palabra cena no es más que la tapadera de una sesión de alcoholemia socializadora y galopante con la que, si bien no suelo tapar grieta alguna, al menos sí que evito que se agranden excesivamente las que ya conozco. Si se suponía que estaba cenando con Jorge —«gracias por usarme de tapadera, Gaby... La próxima vez, a ver si me usas mejor de compañía»—, no podía llevarme el coche.

En el taxi, comencé a obsesionarme con que podía perder algo allí o con que, mucho peor, podía haberlo perdido en casa de Hila. Podía haberme dejado las llaves. La cartera. Unas tarjetas. Hasta las gafas de sol, que no había sacado del bolso, pero que, quién sabe, a lo mejor se habían caído por pura mala suerte. El recorrido, desde Pinar de Chamartín —¿cómo coño se me ocurre buscarme un amante en el otro extremo de la ciudad?— hasta mi casa se me hizo eterno. Y la cantidad de desgracias que imaginé que podían sucederme, infinitas.

—¿Volveremos a vernos?

En ese momento, en ese taxi, le habría contestado que no. Por supuesto que no... Sin embargo, cuando me hizo esa pregunta, justo antes de irme de su pequeño apartamento (tiene su punto tierno), simplemente me quedé callada. No supe qué decirle y pensé que el día de hoy me ayudaría a ordenar las ideas... Bueno, eso es lo que me gusta pensar siempre, pero las ideas amanecen, si cabe, más confusas de lo que ya lo estaban la noche anterior. Sobre todo, si esa noche ha sido tan insomne y tan estresante como lo ha sido esta.

Se me ha hecho extraño todo: meterme en la cama, buscar mi lado en el colchón, fingir que no había sucedido nada cuando, en cierto modo, sí que acababa de suceder algo. Contaba, eso sí, con que Leo estaría dormido a esas horas. Pero, por supuesto, no lo estaba. Al contrario, me lo encontré leyendo (¿leyendo?) en el salón, rodeado de periódicos que, sinceramente, nunca le había visto devorar con tanto interés.

—¿Te has divertido?

—Sí.

Traté torpemente de disimular la rotundidad de mi afirmación, como si asintiendo con menos firmeza, mi culpa fuera también menor.

—¿Dónde habéis estado?

—Por ahí.

—Ya, ¿algún sitio en especial?

No llegué a entender por qué era necesario que Leo mostrara tanto interés en saber qué habíamos hecho. En anteriores ocasiones, se conformaba con un «todo muy bien» y no tenía ningún tipo de apuro en exhibir el tedio que le inspiraba mi relato. Por eso no me había preparado como debía las respuestas para un interrogatorio absurdo al que, en ningún caso, esperaba verme sometida.

—No, al final hemos ido de tapas. Más informal.

—Vaya, yo pensaba que con lo de vuestro aniversario iríais a algún sitio especial.

Mierda. El aniversario. «¿Que celebramos nuestro qué? Coño, Gaby, no me extraña que Leo no me aguante. Me haces quedar como un cursi con cosas así». Jorge tenía razón. Era una excusa ridícula. Ñoña. Y, sobre todo, muy fácil de pillar. Y peor aún, de olvidar... Lo que no sabía era si el sarcasmo de Leo encerraba también dudas sobre mis palabras o si solo quería pincharme un poco. ¿Qué demonios leía con tanto ahínco en los periódicos?

—Bueno, ha surgido así.

Un razonamiento magnífico, Gaby.

—Ajá.

—¿Y tú? ¿Cómo es que no estás en la cama todavía?

—Ya ves.

—¿Tiene que ver con tu trabajo?

—No.

—¿Ha pasado algo?

—¿Por qué tiene que haber pasado algo?

—No sé, Leo, porque no sé qué haces leyendo periódicos en el salón a las dos y media de la mañana.

—No tengo sueño.

—¿Desde cuándo tú no tienes sueño?

—¿Desde cuándo a Jorge y a ti os gustan los sitios informales?

—Mira, Leo, no sé lo que te pasa, pero llevas unos días rarísimo. Me voy a acostar.

—Enseguida voy.

—Haz lo que quieras.

Pero no vino. Al menos, no enseguida. Se acostó, exactamente, a las 3.48 de la madrugada. Y lo sé porque yo me limité a fingir que dormía, sin poder despegar la vista de la pantalla de mi móvil, convencida de que Hila cometería alguna imprudencia y enviaría un sms a destiempo. Le había quitado el sonido, hasta había desactivado el modo vibración, pero en cuanto ese mensaje entrara —o ese whatsapp o ese e-mail o lo que quiera que Hila me fuese a enviar— la pantalla se iluminaría, nos desvelaría a ambos y Leo se daría cuenta de que yo no había estado donde decía que había estado. Es verdad que Jorge detesta los sitios informales y, sobre todo, salir de tapas. Nunca saldría de tapas con él. Y nunca podríamos celebrar aniversario alguno, porque nuestra amistad es tan antigua que no admite ni una sola fecha que la limite.

Por eso ha sido tan oportuna la llamada de Manu esta mañana. Justo después de mi noche de insomnio. Me tranquiliza mucho saber que hoy es Leo quien tiene cosas que explicarme. A ver si esta vez no soy tan poco hábil como anoche y consigo centrar en él todas las preguntas. En esa omisión que no tiene ni la más remota importancia —qué más dará lo del taller—, pero que a mí me va a permitir relajarme y, sobre todo, descansar un poco del ruido incesante que me provoca mi conciencia.

«Ayer no me contestaste. ¿Nos veremos otra vez? H».

El sms me asegura que ese ruido, al menos esta noche, no llegará a cesar.

20

—¿Diga?

—Julia, ¿eres tú?

—¿Leo?

—Sí, soy yo. Quería hablar con David.

—No está.

Lo que yo me temía. Seguro que está en Londres. Enviando anónimos.

—¿Y sabes dónde puedo encontrarlo?

—No creo que quiera que lo encuentres.

—Eso es cosa nuestra.

—¿Vuestra?

—¿Me puedes decir dónde está?

—No tengo ni idea. Hace tres meses que ya no vive aquí.

—Lo siento, yo no...

—¿Y tú?

—Como siempre.

—Creía que ibas a...

—Al final no. Las cosas son complicadas, Julia.

—Para unas más que para otras...

—¿Tú estás bien?

—Adiós, Leo.

No estaba preparado para hablar con ella. Yo solo pretendía comprobar si David estaba en casa y mi plan consistía en colgar el teléfono nada más oír su voz. Por eso he llamado con número oculto, para que no me reconociera. Pero no ha habido suerte, ha contestado Julia. Y, para colmo, me entero de que se han separado. Imagino que David se volvió intratable después del despido. Ya durante no nos lo puso fácil... Lo siento por ella, porque, aunque sea un poco coñazo, creo que es buena persona. Algo pánfila, sí, pero buena persona.

Subo otra vez al coche y arranco enseguida. En el fondo, no estoy muy seguro de qué demonios estoy haciendo. Esta mañana, nada más salir Gaby, he vuelto a poner mi voz de enfermo agonizante y le he dicho a mi jefe que no podía ir a la sucursal. Ernesto me ha colgado sin un maldito mejórate, así que doy por hecho que tengo que buscarme un reemplazo urgente para mi desgastada excusa estomacal.

Lo malo es que mi mentira de hoy tampoco me ha servido de gran cosa. No sé qué pretendía conseguir: ¿ordenar las ideas?, ¿dejar la culpa tirada en alguna otra curva?, ¿recabar más datos de la familia de mi víctima? Ni idea. Llevo ya unas horas conduciendo como un sonámbulo sin llegar a ninguna parte. A ninguna conclusión. Una jornada perdida en la que lo único productivo que hecho —si se le puede llamar así— ha sido esta llamada... Ahora sé que hay tantas probabilidades de que David siga aquí, en Madrid, como de que se encuentre en Londres, enviando paquetes con mensajes anónimos a sus antiguos mejores amigos.

—No puedo creerlo.

—David, no seas crío. Sabes que...

—¿Qué es lo que sé, Leo?

—Sabes mejor que yo cómo funciona esto. No he hecho nada que tú no...

—Yo no he sacado a la luz ninguna de tus mierdas.

—¿Estás seguro?

—No soy un puto Judas, Leo. Yo no.

Nunca me habían llamado así. Y nunca me había planteado tener un referente bíblico como modelo vital. ¿Judas? Según Manu, quizá tenga más de Caín. No lo puedo evitar. No puedo controlar mi necesidad de subir con tal de agradar a quienes me importan —familia, pareja, jefe, hijo—, no puedo dejar de esforzarme por llegar a lo máximo para que se sientan orgullosos de mí. Para no resultarles gris. Mediocre. Ni anodino. Eso no tiene nada que ver con Judas. Yo no actúo por culpa de la envidia. Yo actúo por generosidad, por el puro placer de hacer felices a los demás, aunque ellos no quieran darse cuenta. Lástima que hacer felices a unos exija hacer infelices —al mismo tiempo— a otros. Todo es cuestión del lado de la red en que ellos se sitúen. Tan simple como eso.

—Ha sido decisión de Ernesto.

—¿Decisión suya? Pero si no le has dejado otra opción. Con todo lo que has puesto sobre su mesa, ¿qué otra cosa iba a hacer?

—No puedes culparme a mí de tus errores, David.

—Sabes tan bien como yo que en ese dosier había mucho documento falso.

—No me puedo creer que me estés acusando de...

—Lo que yo no puedo creerme es que un supuesto amigo mío haya resultado ser el jodido Maquiavelo.

Está visto que David no sabe insultar sin referencias. El día de su despido las empleó todas con una saña y una eficacia admirables. Lástima que su rabia fuera tal que pronto decidiera cambiar tanta erudición por una muestra de cólera algo menos elaborada.

—Sigo siendo tu amigo.

—¿Tú? ¿Tú todavía mi...?

El puñetazo me hizo perder el equilibrio y caer, afortunadamente, en mi butaca. Pudo haber sido más humillante aún, pero el hecho de ser agredido en mi despacho me permitió una cuota de dignidad que habría perdido si David hubiese preferido pegarme —y tirarme al suelo— en medio del pasillo. Siempre ha sido más fuerte que yo y, sobre todo, más hábil. No pude evitar recordar alguna de esas peleas de bar que habíamos vivido en los años de universidad y que, fundamentalmente, consistían en que yo acababa metido en alguna situación incómoda —tenía una curiosa tendencia a seducir a las chicas de otros estudiantes— y él acudía a mi rescate con sus maneras de macarra y sus golpes de karateka aficionado. Luego, por supuesto, la hazaña se convertía en dual y yo acababa relatándola como una historia en la que, en realidad, el que hacía el papel del mismísimo Bourne era yo, mientras que David se conformaba con el rol del necesario, aunque prescindible, coprotagonista.

A David nunca le importó ser mi segundo, mi —ya que estamos con las referencias— escudero. Ni esas noches de juventud, ni las que vinieron después. Incluso juraría que me echaba de menos cuando no estaba cerca, porque fue él quien me habló del puesto en el banco cuando se enteró de que yo no estaba del todo contento con mi anterior trabajo.

—Fui yo, joder. Fui yo quien te propuse para este puesto. ¿Ahora tampoco te acuerdas de eso, Leo?

—Cómo voy a olvidarlo, David, si llevas diez años restregándomelo.

—¿Y por eso tenías que vengarte?

—Esto no ha sido una venganza.

—Mira, Leo, ahí tienes razón. No lo ha sido. ¿Y sabes por qué no? Porque tú no tienes ni puta idea de lo que es eso. Pero tranquilo, que ya me encargaré yo de que lo averigües.

—David, venga, cálmate. David, por favor, no...

Recuerdo que me cubrí ridículamente la cara con las manos. Recuerdo que me sentí aterrado cuando vi cómo se echaba sobre mí con su puño en alto. Recuerdo que sentí el dolor del golpe antes de que se produjese. Recuerdo que me avergoncé de no tener ni un ápice de la violencia, ni de la hombría, ni del valor del que presumía en aquellos relatos ficticios de juventud. Recuerdo, cómo lo recuerdo, que uno de los miembros del personal de seguridad abrió en ese momento la puerta y se lanzó sobre David justo un instante antes de que volviese a agredirme. Recuerdo —supongo que eso no voy a poder olvidarlo jamás— cómo lo llevó a rastras fuera del banco, cómo gritaba «¡David, cálmate!», cómo nos miraban todos los compañeros, cómo salió Ernesto, alarmado, a la puerta de su despacho, cómo empezaron a tratarme todos desde entonces, cómo solo Gonzalo se acercó a mí y me dijo que debían mirarme ese ojo, cómo llegué a casa aquella tarde y me inventé una heroica pelea con un par de atracadores a los que, por supuesto, había disuadido de robarme gracias a mi habilidad en la lucha, cómo adorné el relato para suscitar la ternura y hasta el morbo de Gaby, cómo hicimos el amor aquella noche, cómo disfruté del orgasmo mientras ella se imaginaba a un hombre que no era yo y que, por supuesto, no estaba en esa cama, que nunca ha llegado a estar en esa cama.

Por eso le he llamado hoy a su casa. Para saber si era David quien estaba en Londres hace, según la fecha del matasellos, apenas unos días. Y puede que estuviera (¿habrá ido hasta allí solo para eso?), pero me resulta difícil de creer que su odio incluya una acción tan sofisticada. Y tan premeditada. Lo suyo es más el arrebato violento. Por eso, aún miro con inquietud la calle cada vez que salgo de casa, o cuando entro en el banco, porque sigo preguntándome a qué se refería cuando habló de venganza y, sobre todo, en qué consistirá.

21

—No sé si quiero repetir.

   —¿No estuvo bien?

—No es eso, Jorge, es que...

   —¿Sí?

—Hila es un tío majo, pero...

   —¿Pero?

—Mejor te lo cuento cuando nos veamos.

   —¿Y me vas a dejar así? ¿A medias? Gaby, esto es peor que un coitus interruptus.

—Por teléfono no me apetece hablar de...

   —¿Sexo?

—¿Qué insinúas? ¿Que soy una timorata?

—Eso lo has dicho tú.

—Mira, Jorge, que tú no hayas follado aún con el actorzuelo ese no te da derecho a pagarlo conmigo.

—Vale, ya veo que por teléfono no se te da nada bien conversar.

—Jorge, perdona, no...

—Hablamos. Chao.

—¡Jorge!

La culpa la tengo yo, por llamar a quien no debo cuando no debo. No se puede marcar el número de tu mejor amigo justo después de salir de una experiencia que, como mucho, se puede calificar de decepcionante. Se puede llamar a un mejor amigo después de una experiencia eufórica —para compartir la alegría— o después de una experiencia trágica —para compartir el dolor—, pero llamar a un mejor amigo para compartir algo tan gris es un acto insensato.

No tenía que haberle llamado ayer desde el taxi, a la una y media de la mañana, porque si no lo hubiera hecho, ahora no estaría pensando en cómo empezar un e-mail para pedirle perdón por haber sido tan borde. Y eso, por lo que se dice de mí en el trabajo, es algo en lo que puedo llegar a convertirme con cierta facilidad.

—Me has jodido.

—Lara, no es justo que ahora lo personalices todo en mí.

—Claro que lo es. A mí no me han jodido ellos por mandarme a la mierda. A mí me has jodido tú, Gaby. Por hacerme creer que sí confiabas en mí. Y en mi trabajo.

—Y lo hago.

—¿Seguro?

—¿A ti qué te parece?

—¿A mí? A mí me parece que nunca te ha gustado lo que hago. Ni lo que hago yo ni lo que hacen los demás artistas de este sello.

—Eso es estúpido.

—¿Y por eso nos miras a todos como si fuéramos subnormales? Por favor, que se te nota a kilómetros de distancia siempre, Gaby. Tú no caminas, chica, tú levitas.

—Lara, entiendo que estés enfadada, pero me parece que te estás extralimitando con...

—La verdad duele, ya lo sé. Y que te digan que odias tu trabajo, pues mucho más. Porque tú te debes creer la hostia y estás amargada vendiendo lo que vendes. ¿O de verdad te piensas que eso no se te nota?

—¿Tan mal concepto tienes de ti?

—Ni bueno ni malo. Tengo el que tengo, Gaby. Yo no quiero ser el puto Bach. Sé lo que hago. Sé lo que canto. Y me parece lo bastante digno como para exigirme un lugar en la industria.

—No seas ingenua, Lara. ¿De qué industria me hablas? La musical lleva años muerta. Aquí estamos todos muertos, solo que algunos no os habéis enterado aún.

—Vaya, no sabía que mi vida era un *remake* de *El sexto sentido*.

—Prueba con otra casa discográfica. Hay muchas en las que tu sonido encaja bien.

—No seas cabrona.

—Deberías aprender a manejar tus emociones, Lara. Este mundo es muy pequeño. Y reacciones como las de hoy pueden perjudicarte.

—Exacto. Un mundo muy pequeño... Ten cuidado con él.

—¿Qué has querido decir con eso?

—Adiós, Gaby.

No se puede decir que esta haya sido mi mejor semana... Aunque hay que admitir que tiene cierto mérito acumular cuatro broncas importantes en tan solo tres días. Jorge, Lara, Alejo, Leo. Cada una por un motivo diferente, pero todas igual de poco afortunadas... Supongo que, por eso, esta noche voy ya por la segunda copa. Dos *gin-tonics* mientras me intento convencer de que estoy disfrutando de este instante de soledad doméstica. Con Adrián durmiendo en casa de un amigo. Con mi marido no tengo ni idea de dónde (la llamada de su hermano me ha dejado perpleja). Y finjo, o me gustaría fingir, que disfruto de este momento en el que me sirvo la tercera —sí, ahora ya es la tercera— copa mientras subo el volumen de una música que sí me gusta, una de las que no produzco yo, porque lo mío es la cultura de masas, y el *mainstream,* y la mierda de las ventas y de las cuotas y de todo eso que he aprendido a dominar y que ahora no sé si me ha llevado, como decía la desagradecida de Lara, a venderme a mí misma.

Y como tampoco me apetece pensarlo, enciendo el portátil y busco a alguien con quien hablar, de nada trascendente, en algún chat. O alguien en cuya vida cotillear a través de su Facebook. O alguien con quien debatir, da igual sobre qué, en el *timeline* de Twitter. Busco gente para llenar este rato a solas —tan necesario, me digo—, gente con la que teclear algo que me evite escuchar mis propios pensamientos. Gente con la que generar tanto ruido como me sea posible —palabras, mensajes, tuits, actualizaciones de estado— antes de que el silencio me haga volver la vista hacia mi propia vida y preguntarme si me gusta algo, por pequeño que sea, de todo lo que parece haber aquí.

—Tendrás que buscar a alguien que cubra su lugar.

—¿Y por qué no podía ser ella misma quien lo cubriese, Alejo?

—Lara ya es pasado, Gaby. Está quemada. Y tú lo sabes.

—Pero ahora me estás hablando de cubrir su lugar.

—Sí, y su lugar son los compradores gays de entre veinticinco y cuarenta. El mismo *target* —cómo odio esa palabra, si Alejo supiera cómo odio esa palabra...— que hizo número uno en ventas su primer disco. Esos son los que necesito que tengan otro juguete nuevo cuanto antes.

—Cuando hablas así, me cuesta contener las ganas de vomitar.

—¿Y cuando ves tu nómina también?

—No me jodas.

—No, Gaby, no me jodas tú. Sabes tan bien como yo cómo está esto. Así que no me vengas con discursos morales baratos. Y si realmente tienes un conflicto ético tan enorme, renuncias a tu puesto y a tu sueldo. Y listo. Para qué vas a seguir así de incómoda, ¿no crees?

—La semana que viene tendrás ese lugar cubierto por tu próximo juguete roto. ¿Te vale así?

—Me vale así.

En mi ordenador veo que están conectados Hila y Jorge. Qué pereza... Justo ahora no me apetece hablar con ninguno de los dos. A Jorge prefiero escribirle un e-mail de disculpa y a Hila todavía no sé qué responderle a su propuesta de vernos otra vez. Y no es que tenga motivos concretos para negarme, es solo que me faltan razones mínimamente entusiastas para volver a arriesgarme de nuevo.

—¿Arriesgarte?

—Podrían pillarme...

—¿Y eso sería tan grave, Gaby?

—Eso sería complejo.

—Así que la vuestra es una pareja convencional.

—¿A qué te refieres con convencional, Hila?

—A que os creéis eso de que sois fieles.

—Yo hasta ahora sí lo he sido.

—¿Y eso te ha hecho feliz?

—¿Me va a hacer más feliz no serlo?

—No sé, Gaby. Depende de ti.

Ayer esperaba salir de su piso aún excitada. Satisfecha. Incluso, por qué no, con ganas de más. Pero salí confusa. Algo decepcionada. Salí con la sensación de que lo vivido estaba muy por debajo de lo esperado... Y no solo es que la química sexual no fuera tanta como yo habría querido —por momentos, hasta eché de menos la rutina con Leo en la que, tras tantos años, hay un porcentaje de acierto asegurado—, ni que Hila tuviera menos pericia física que verbal —se le da mejor provocar mi morbo que acariciar mi cuerpo—, ni que me sintiera un poco culpable por lo que estaba sucediendo —aquello se parecía más a un ejercicio de masturbación que a una aventura extraconyugal—, no, lo peor de todo fue que no encontré en esa noche nada con lo que llenar el vacío y la ansiedad que, supuestamente, sí pretendía llenar.

No soy tan ingenua como para creer que un polvo pueda tapar según qué cosas, pero sí confiaba en que transgredir las normas fortalecería un poco mi autoestima y estaba convencida de que todo resultaría tan brutal y tan escasamente civilizado que acabaría con unas ganas incontrolables de repetir... Pero en cuanto me metí en el ascensor y salí a la calle, el morbo se convirtió en desidia, y la excitación, en incomodidad. Me preocupaba más lo práctico —¿se daría cuenta Leo?— que la posible continuación de algo que, siendo honesta, no, ni siquiera mejora si se le llama *affaire*.

A ratos, el encuentro resultó simple gimnasia, y la coreografía —por falta de complicidad o por falta de voracidad— tampoco fue nada memorable. Quizá Hila estaba más cohibido conmigo delante que conmigo tras la pantalla de su ordenador y puede que yo necesite, ahora mismo, alguien que sea capaz de sacudir las sábanas hasta no dejar en ellas ni un solo ápice de cordura. Puede que yo quiera que me hagan salir de esta sensación de normalidad —de este cuarto *gin-tonic*— con algo más de fuerza, de vehemencia, de una locura que allí no encontré.

—¿Bien?

—Sí.

—¿Ya te levantas?

—Tengo que irme, Hila.

—¿Tan rápido?

—Mejor así.

—¿Ni siquiera tienes tiempo para...?

—No quiero que sospechen.

—El baño está al fondo del pasillo.

—Gracias.

Será culpa mía, pero mientras me duchaba en aquel baño no podía dejar de sentir un pegajoso e inoportuno instinto maternal. Me superó el desorden, el caos casi universitario de aquel cuarto que parecía más el baño de un piso de estudiantes que el de un interesante treintañero. Por un momento, hasta dudé de que me hubiera dicho su edad real. ¿Treinta y tres? Aquel maremágnum —idéntico al del resto de su apartamento— no parecía corresponderse con el personaje que se había construido en nuestro chat.

—Veintisiete.

—¿Cómo dices?

—Casi lo que te dije...

—No me gusta que me mientan, Hila.

—¿Me habrías dado una oportunidad si lo hubieras sabido?

—A lo mejor.

—Eso no es una respuesta.

—¿Qué quieres que te diga?

—La verdad.

—Tú no me la dijiste.

—Pero suelo decirla.

—¿Siempre?

—A menudo.

No sé si mis dudas sobre volver a vernos tienen que ver con esa diferencia de edad. ¿Qué coño hago yo con un tío al que le saco más de veinte años...? O puede que su edad no me importase tanto si él hubiese conseguido que yo la olvidase en esa cama donde todo resultó forzado y previsible, donde no hubo ni un gramo de demencia que me hiciese experimentar un placer con el que había fantaseado desde la primera vez que nos cruzamos en aquel chat. Quizá se acobardó y por eso fue tan pudoroso en su forma de recorrer mi cuerpo. O quizá no supe darle confianza y por eso apenas entendió lo que esperaba de él. O quizá nos habíamos creado tantas expectativas que no había orgasmo capaz de darnos la razón. Ni de estar a la altura. O quizás es que yo he enloquecido ya del todo y sí quiero ser, como me temía, la mismísima Emma Bovary, así que hasta me he buscado el León de turno al que educar en la cama para que satisfaga mis caprichos.

El sonido de la cerradura me saca de mi ensimismamiento. Alguien regresa de algún lugar indefinido y, seguramente, en un coche que no es el suyo. Me alegra tener munición con la que convertir mi defensa en ataque.

—Qué tarde llegas, Leo.

—Estos días tengo mucho trabajo, cariño.

—Tu hijo lo acusa mucho.

—Nuestro hijo lo acusa mucho todo. Últimamente eso es lo que más hace: acusarnos.

—¿Te pasa algo?

—¿Por?

—No, por nada.

—No me gusta tu tono, Gaby.

—¿Hay algo de mí que sí te guste últimamente?

—¿Vamos a empezar otra vez?

—¿Otra vez qué?

—Si vas a repetir lo del portazo, haz el favor de llevarte el abrigo. A ver si con tanto arranque teatral te vas a coger una pulmonía.

—Vaya, qué gracioso estás hoy.

—Ya ves. Un talento escondido.

—Y no es lo único que escondes, ¿verdad, Leo?

—¿Y eso a qué coño viene?

—¿Me explicas lo del coche?

Nunca lo he visto así. Total, por una tontería... Blanco. Enmudecido. Incapaz de articular palabra. No entiendo qué pasa. Es cierto que ambos llevamos una temporada crispados, que se nota que hay algo que no somos capaces de seguir encajando. Que las piezas —trabajo, familia, pareja, amigos— se nos están saliendo a los dos del puzle. Sí, es verdad que estamos alterados, es verdad que a ratos parece que estamos deseando mandarlo todo y a todos a la mierda, pero ni siquiera con eso puedo explicarme por qué se pone así, casi tartamudeando, por una anécdota que yo tenía planeado sacar de quicio con el único propósito de desviar su posible atención hacia mí.

—¿Qué...? ¿Qué...? ¿Qué coche?

—El tuyo.

—¿Qué le...? ¿Qué le pasa a mi... a mi coche?

—Leo, ¿estás bien?

—¿Qué le...? A mi... ¿Qué le pasa a mi coche, Gaby?

—Nada, que ya lo tienes listo. Ha llamado tu hermano para decírmelo.

—¿Mi hermano?

—Sí, he hablado hace un rato con Manu y me lo ha dicho. Me he hecho la loca, claro, porque no me apetecía contarle que su hermano me oculta cosas como esa.

—Fue en el garaje. Hace unos días, en el garaje.

—¿Ya no me cuentas ni eso? Qué estupenda comunicación, ¿no?

—No creí que eso fuera.... No creí que.... No era importante.

—Ya no sé si lo es. Hace siglos que no sé qué es importante entre tú y yo.

—Porque hace siglos que no me lo preguntas.

—¿Y tú, Leo? ¿Me has preguntado algo tú a mí últimamente?

—Cuando lo hago me respondes con evasivas. Se ve que la sinceridad te la reservas para tus amigas. Y para Jorge.

—¿Otra vez Jorge?

—Me pone enfermo.

—¿Te importa no juzgar a mis amigos?

—¿Y a ti te importaría no juzgarme siempre a mí? Me agotas, Gaby.

—Esto no marcha, Leo.

—¿Y eso qué se supone que significa?

—Suelta. Suelta, joder, que me haces daño.

—Perdona. Venga, vamos a hablarlo.

—No quiero hablar nada. Ahora no.

Seguro que hoy ninguno de los dos podremos conciliar el sueño. Fingiremos que sí, pero estoy segura de que él sabrá que yo estoy despierta igual que yo sabré que lo está él. Mañana en el desayuno seguiremos sin dirigirnos la palabra. Y por culpa de tanto silencio puede que acabe dándole un sí a alguien —¿cómo coño se pueden tener solo veintisiete años?— a quien lo sensato sería decirle no.

22

Cojonudo.

Justo la noche en que tengo que conseguir algo de Gaby, voy... y la cabreo. Y en tiempo récord, además. Seguro que si yo no hubiera sido tan agresivo, ella tampoco habría sacado con tan malas formas el asunto del coche... Joder, Leo, joder, qué torpe estás. Parece que jugaras a esto por primera vez. De repente es como si todo el entrenamiento previo no sirviera de nada. Como si jamás te hubieras visto en una situación difícil. Y está bien, puede que la de ahora no sea comparable, pero en el fondo no es más que un escalón más. Otro peldaño. La vida no es más que una infinita cuesta arriba, Leo, eso ya tendrías que saberlo, ¿no?

Y no puedes ponerte la zancadilla mientras la escalas. No de esa manera tan infantil.

«¿Cenamos esta...?».

Borrar. Mejor borrar. No sé si este mensaje es el tono que Gaby espera precisamente ahora. ¿Después de una bronca como la de anoche no debería comenzar mi sms de otro modo?

«Lo siento, Gaby, yo...».

Borrar de nuevo. ¿Admitir la culpa es buena idea? ¿Y la culpa por qué? ¿Por haberme sentido fiscalizado sin motivo? ¿Por haber sido acusado de algo tan inocente como ocultar que mi coche estaba en el taller? No puedo disculparme por eso.

«Buenos días, cariño».

Ya está. Enviado. No es original pero puede ser efectivo. Los saludos no admiten muchos tipos de respuesta. Y me da cierto margen. Ahora solo queda esperar el doble check en el whatsapp. Es lo bueno de esto, que sabes cuándo ha llegado tu mensaje. Y también lo malo, que sabes cuánto tiempo te hacen esperar hasta que te responden. Vamos, Gaby, léelo. Y dime algo.

Doble check.

Bien, pues ya está, ya ha leído mi saludo-disculpa. Desearle buenos días después de una bronca como la de ayer equivale a una disculpa. No pretenderá que me ponga en plan ñoño y le haga una escena a lo película de Hollywood. A mí no me gusta nada el cine de Hollywood. Ni las mariconadas. Las mariconadas me gustan incluso menos que el cine de Hollywood.

Gaby está escribiendo... En línea... Escribiendo... En línea...

Nada. Que no termina de escribir el mensaje. Teclea y desteclea. Y así durante cinco minutos. Cinco eternos minutos en los que solo espero de ella un «Hola, Leo» y luego vendrá mi «¿Cenamos esta noche?» y más tarde su «Sí» y después mi «En el Lágrimas Negras. El del Puerta América» y a continuación un «Pero si tú lo odias...» y por último mi «Ya, pero sé que a ti te encanta. Te veo allí a las 22.30». No creo yo que se tarde tanto tiempo en mantener un diálogo tan sencillo y tan lógico como este.

«Me pillas muy liada».

Pues empezamos bien.

Gaby, que esa no era tu frase. Tu pie era «Hola, Leo», así de simple, para que yo te proponga una cena y una charla muy distendida en la que me cuentes qué tal le va a Jorge, cómo sigue su relación con Hugo y, sobre todo, qué datos cotidianos sabes del ex de tu mejor amigo para que yo pueda encontrarme con él. Tú tienes que decirme «Hola, Leo» para que yo pueda citarte, sin que tú siquiera lo sospeches, a un interrogatorio de lo más espontáneo.

«Cenamos fuera esta noche?».

«No sé si me apetece».

¿Por qué te empeñas en no leer tu guion? ¿Desde cuándo esta repentina pasión por improvisar, Gaby?

«Nos vendrá bien hablar».

Gaby está escribiendo. En línea... Escribiendo. En línea...

Gaby —eso no lo dice el whatsapp, pero lo añado yo— puede resultar agotadora.

«De qué quieres hablar, Leo?».

«De nosotros».

Es la respuesta más inmediata. Y la más convincente. Nunca sé muy bien qué se supone que quiere decir eso de «tenemos que hablar de nosotros», pero es un pronombre muy cómodo porque lo engloba todo y, de momento, con Gaby suele ser muy eficaz. Decirle que vamos a hablar de nosotros es una especie de sedante dialéctico, no sé, como un antídoto cuando las cosas se nos ponen difíciles.

«Y Adrián?».

«Que venga tu madre. Puede quedarse con él esta noche, no?».

«Si no hay más remedio».

La relación de Gaby con su madre tampoco la entiendo del todo, pero es lo suficientemente cordial como para que Inés nos haga de canguro de vez en cuando. Adrián se lleva bien con ella y ella, o eso parece, no se lleva del todo mal conmigo, así que basta que yo la llame y le diga un par de gracietas para que nos haga el favor. Es raro, sí, pero tenemos más posibilidades si se lo pido yo que si la llama su hija. Con su hija es diferente.

«Reservo en el Lágrimas Negras, vale?».

«Pero si tú lo odias!!».

No esperaba las exclamaciones ante mi amable sacrificio, eso es cierto, pero es la primera vez que mi mujer se ajusta a su papel. ¡Ya era hora!

«Sé que a ti te encanta...».

Eso es una disculpa. Clarísima. Que yo vaya a desplazarme hasta un lugar que ella sabe que me repele (odio el diseño pretencioso) y en el que solo estuve una vez hace años, y porque Gaby se empeñó, es un gesto de excelente voluntad.

«Hablas en serio???».

No sé si esas tres interrogaciones —tres, a falta de una, tres— son su forma de manifestar asombro, alegría y admiración ante mi exquisito detalle. No creo que todos los maridos que ocultan que han llevado su coche al taller —que seguro que alguno hay— se disculpen de semejante bobada invitando a su mujer a un restaurante caro. Y no es que a mí me apetezca dejarme una pasta en no sé qué platos diminutos, pero pienso que es necesario crear un clima relajado y favorable para que Gaby me cuente todo lo que quiero saber.

«Nos vendrá bien».

«Avenida de América me pilla fatal, Leo».

«Es línea directa desde tu trabajo... Allí a las 22.30?».

Gaby está escribiendo... En línea... Escribiendo... En línea...

No sé qué demonios le pasa a Gaby que se muestra tan insegura al otro lado del teléfono. ¿Tan enfadada está que no puede ni decirme que sí para ir a cenar a uno de los pocos sitios que sé con certeza que le gustan?

«Avisas tú a mi madre?».

«Claro».

Gaby está en línea.

Pausa. Interminable. Ni siquiera teclea. No dejo de mirar la pantalla como un imbécil... Esperando que me responda de una vez.

«Vale».

¿Eso ha sido un sí? Joder, que sea que sí.

«Allí estaré. Hasta la noche, Leo».

Pongo un emoticono cursi, un ser amorfo y amarillo del que sale algo que parece un corazón, y, aunque sé que Gaby no es muy dada al guiño adolescente, espero que me responda con algo similar. Por supuesto, la espera no trae consigo más que silencio y me demuestra que, o mi emoticono era demasiado chorra para ella, o que está demasiado enfadada aún por la bronca de anoche.

Qué triste resulta tener la sensación de que no estamos enfadados por lo que nos decimos, sino por todas las cosas que callamos. A su modo, nuestras discusiones empiezan a serlo por omisión. Y eso sí que, sinceramente, no tengo ni idea de cómo resolverlo.

23

Lo de Leo es puntería. Puntería o mala leche, según se mire, porque hay que tener mala suerte para que se le haya ocurrido invitarme a cenar en uno de los pocos lugares donde no me apetece ir con él. Con la de cosas que hemos olvidado el uno del otro en estos años, ¿por qué tiene que acordarse de cuál es mi restaurante favorito?

Llevo toda la tarde fingiendo que no me importa, tratando de disimular el nerviosismo en el trabajo, pero entre el bombardeo de e-mails de esta mañana y los planes para esta noche me resulta un poco complicado mantener la calma. Me intento convencer de que no tiene por qué suceder nada, de que seguro que el personal del Puerta América no se acuerda de mí —¿cuánta gente pasará al día por un mismo hotel?— y, sobre todo, de que si alguien me reconoce será lo bastante discreto como para no hacerlo notar. No tendría sentido que un recepcionista o un camarero se dirijan a mí con un «Su cara me suena» o, peor aún, con un «Usted ha estado aquí hace muy poco, ¿no?». Esas situaciones solo se dan en comedias americanas y en chistes malos, ¿verdad? En la vida real nadie se acuerda de una mujer que pasa medio día en el bar de un hotel y que, a la mañana siguiente, deja la habitación con una expresión tan culpable que parece sacada de una novela de Dostoievski.

—Los de informática dicen que te han escrito desde varios ordenadores. Cada e-mail se corresponde con una IP distinta.

—¿Y?

—Te los habrán enviado desde más de un ciber, Gaby.

—¿Todos?

—Eso parece.

—Genial, así que los dieciséis correos con amenazas que he recibido hoy están enviados por algún psicópata capaz de recorrerse, en una sola mañana, dieciséis ciber diferentes... Muy tranquilizador, sí.

—Seguro que no es nada.

—¿Y eso lo sabes porque...?

—Porque lo sé. Estamos acostumbrados a estas cosas.

—Lo estarás tú, Alejo. A mí, hasta ahora, nadie me ha escrito nada parecido.

—Pues no será porque no hay gente con motivos para hacerlo.

—Eso, tú dame ánimos.

—Era broma.

—Ni puta gracia, Alejo.

—Chica, estás muy intratable últimamente, ¿no? A lo mejor te van bien un par de días libres. No sé, te falta sentido del humor.

—Me falta tu sentido del humor, querido. El del resto lo pillo a la primera y hasta me hace gracia. El tuyo, últimamente, no tanta.

—Bueno, si quieres saber algo más, habla con la policía.

—Está bien. Lo pensaré, ahora tengo mucho trabajo que terminar.

—Como quieras.

Quizá se lo pueda comentar a Hugo... Seguramente, esto no es más que una broma de mal gusto, pero quiero saber, al menos, de dónde procede. No puedo evitar preguntarme si el tipo con el que quedé, precisamente, en el Puerta América está detrás de todo esto. A fin de cuentas, le hice ir hasta allí para darle plantón justo antes de que ocurriera algo. Cómo no iba a intentar localizarme. Cómo no iba a rastrearme hasta dar conmigo para acusarme de todo lo que me acusa en esos e-mails. *Calientapollas* es, en general, lo más suave que me dedica. Lo demás es un sinfín de insultos y vómitos machistas.

Lo único que me detiene es que si hablo con Hugo puede que estropee aún más las cosas entre Jorge y yo. Ya le debo un correo de disculpa —un e-mail que sigo sin verme capaz de escribir: me cuesta demasiado vencer el orgullo en ciertas situaciones— y no quiero deberle, además, una explicación por haberme puesto en contacto con su ex. Para Jorge, que en estas cosas es algo posesivo, casi sería una forma de traición. Además, seguro que no le da importancia a lo de los correos: para él, el terror y la amenaza siempre tienen algo de ridículo. Quizá porque ha combatido en muchas guerras o quizá porque, más allá de su trayectoria personal, le sobra sarcasmo para hacerles frente. A mí no, la verdad, a mí bastante me cuesta mantenerme en pie y en continuo equilibrio en tantas facetas de mi vida como para, además, asumir con estoicismo las amenazas e insultos de algún demente.

Puede que lo que deba hacer ahora sea disculparme con Jorge de una vez por todas. Tragarme la soberbia, asumir que nuestra discusión fue una estupidez —a veces pierdo la perspectiva, me temo— y precipitar un encuentro que, en realidad, tengo ganas de que se produzca. Y después, si me da el visto bueno, veré qué me dice Hugo del asunto este de los e-mails. Si debo o no debo preocuparme. Si es tan inofensivo como quiere hacerme creer Alejo o si hay algo más detrás, como intuyo yo.

«Espero una respuesta».

El icono del whatsapp parpadea en mi teléfono. Ni siquiera me hace falta mirar para saber quién me escribe.

«No te la he dado aún, Hila?».

«Sabes que no».

«Y qué respuesta quieres?».

«A ti qué te parece?».

«Soy poco observadora».

«Te divierte jugar conmigo?».

«Y a ti hacerte la víctima...?».

«Es que soy un chico tierno».

«En todos los sentidos?».

«Solo en algunos».

«Y en cuáles no?».

«Ya no te acuerdas? Creo que te dejé claro dónde acababa mi lado tierno».

«Tengo un recuerdo algo impreciso...».

«Faltó algo?».

«Rotundidad, tal vez».

«Vaya, eso ha dolido...».

«Eso es porque eres tierno».

«Otra oportunidad?».

«Sabrás aprovecharla?».

«Eso lo juzgas tú».

«No te asusta repetir mala nota?».

«Es que me suspendiste?».

«Aprobado a secas».

«Quiero un sobresaliente, Gaby».

«Gánatelo».

«Esta noche?».

«No te das por vencido?».

«Casi nunca».

«Esta noche imposible».

«Mañana?».

Escribo. Borro. Escribo. Borro. Escribo. Borro...

«Tanto miedo te doy?».

«Mañana. A ver si esta vez, por lo menos, me llegas al notable».

«Cuenta con ello».

Está claro que tiene veintisiete. Hay que tener veintisiete para ser capaz de arrastrarse tanto para conseguir algo. No sé qué ha visto en mí que le hace interesarse de ese modo y, aunque supongo que eso debería halagarme un poco, en realidad no lo hace. Me vence la sensación de estar haciendo el ridículo, de empezar a perder pie en una historia que ni siquiera lo es todavía y que, como no sea capaz de controlar, puede que acabe por ser la gota que necesito para desbordar completamente el vaso. Y eso que nunca he sido de las que se ahogan rápido —ni fácilmente, jamás me ahogado fácilmente—, pero, de unas semanas para acá, todo me da la sensación de estar conjurado contra mí para hacerme, definitivamente, naufragar.

24

He salido un poco antes del trabajo para recoger el coche del taller. Está como nuevo, la verdad, así que he intentado controlarme con Manu y le he dado las gracias sin provocar ningún diálogo absurdo.

—No entiendo qué te pudo pasar con esa columna, Leo.

—Se ve que no estoy en mi mejor momento.

Evidentemente, no hay relación alguna entre ambas cosas, pero ese es el tipo de frases que suelto para no tener que dar más explicaciones, sobre todo porque a buena parte de la gente que conozco les suenan siempre como si fueran una respuesta sincera y trascendente. A menudo, cuando necesito que me dejen en paz, solo tengo que emular a los autores de libros de autoayuda, soltar un par de frases lapidarias y, a ser posible, autocompasivas y poner cara de personaje de Paulo Coelho. Con eso basta.

—Te veo el domingo, ¿no?

—¿El domingo?

—Joder, Leo, en el cumple de papá. ¿No te acordabas o qué?

—Claro que me acordaba, Manu.

—Ya, seguro. ¿Le has comprado algo?

—Bueno, tengo varias opciones.

—¿Ah, sí? ¿Cuáles?

—No sé. Estoy en ello.

—¿Quieres que le hagamos un regalo a medias?

—No, déjalo, ya se me ocurrirá algo.

—¿Algo que le guste a él o algo para dejarme a mí en evidencia?

—Manu, no empieces, anda.

—¿Por qué no podemos comprarle el regalo juntos, Leo? ¿Porque de ese modo no nos puedes restregar a todos tu éxito?

—¿Pero se puede saber a qué viene esto ahora?

—A que a lo mejor lo que papá necesita es que vayas a verlos de vez en cuando. A lo mejor tus regalos caros se la sudan.

—Mis regalos le gustan.

—Como todo lo que viene de ti. Aunque el que se ocupe de ellos sea solo yo.

—¿Te pasa algo?

No se puede decir que Manu y yo tengamos una relación ejemplar. Son demasiados años de envidias y cainismos diversos como para fingir, a estas alturas, una complicidad que jamás hemos tenido. En parte porque mis padres alentaron con saña la competitividad —había que ser el mejor dentro y fuera de casa— y en parte porque nuestras personalidades son lo bastante distintas como para no entendernos más que medio bien. Pero de ahí a organizar un número como el de hoy sin venir a cuento hay una notable diferencia. A Manu tiene que pasarle algo. Seguro.

—Pasa que... Lo siento, tío. De verdad que lo siento... Es que no puedo más, Leo. Estoy hasta el cuello de deudas... Y no sé si el taller...

—¿Tan mal va?

—Va de puta pena... Si esto no cambia, voy a tener que...

—¿Despedir a Salva?

—¿A mi único operario? ¿Y para qué? ¿Para tener que llevarlo todo yo solo? Imposible, Leo.

—Ya.

—¿Pero tú estás seguro que ese crédito no era viable? Podría volver a presentar los papeles y...

—Manu, ya lo hablamos. Tengo las manos atadas en eso. No te puedo ayudar. Me gustaría, pero no puedo.

—Lo entiendo, Leo. ¿Te veo el domingo?

—¿Quieres que le compre yo algo a papá en nombre de los dos?

—No, gracias. Ando mal de dinero, pero no de orgullo.

—Lo sé. Te conozco bien, Manu.

—Eso es lo que tú crees. Solo lo que tú crees.

Está hecho una mierda. Y lo entiendo. En su momento ya le dije que estaba arriesgando demasiado, que debería ser más cauto y, en cierto modo, menos desprendido. Pero Manu nunca ha brillado por su sentido común, así que era de esperar que la crisis se cebara con él y con su rollo perroflautista y despreocupado. Que si puedo contratar a alguien más, que si les puedo subir un poco el sueldo. Bah, gilipolleces. Buenrollismo malentendido, porque si hubiera sido más estricto a lo mejor ahora no tenía que cerrar el taller y mandarlo todo a la mierda. Si hubiera sido un poco menos utópico, puede que le bastase con recortar un poco el presupuesto y bajarle el sueldo a Salva, que dudo que a su edad y en plena crisis pueda encontrar algo mejor que esta bazofia. Pero mi hermano nunca ha sido tan rápido como yo para prever daños y consecuencias, por eso no nos puede ir igual de bien y por eso, en días como hoy, me lo restriega.

—Te veo el domingo, Manu.

Llamo a mi suegra (no creo que haya un yerno más idolatrado por su suegra que yo) y la convenzo para que se venga hoy a casa. Adrián pone cara de póquer cuando le digo que va a pasar la noche con su abuela, aunque creo que al rato concluye que eso es algo estupendo, porque sabe que ella no se esfuerza lo más mínimo por imponerse y que le dejará estar delante del ordenador o de la Play hasta tan tarde como a él le apetezca. A mí eso me da igual. La obsesionada con las horas de sueño es su madre, que parece que aspira al Premio a las Buenas Costumbres Domésticas con tanto horario y tanta tontería castrense. Pero Inés es distinta, no tiene nada del carácter militar de su hija, así que Adrián pasa de la cara de póquer a una sonrisilla de satisfacción que, en cierto modo, me reconforta. Me gusta saber que mi hijo tiene algo de la inteligencia emocional de su padre, porque eso me hace pensar que será —como lo soy yo— un buen superviviente, y no un paria como Manu o un segundón eterno como David.

Después de organizarlo todo —el coche recogido, la suegra convencida, el adolescente encerrado en su cuarto haciendo lo que quiera que hagan los adolescentes cuando se encierran en sus cuartos...—, me sigue sobrando casi una hora y media hasta la cena. Y entonces tomo una de esas decisiones estúpidas —o no tanto, de eso no estoy seguro— que quizá debería aprender a censurar. Me pregunto si sería una buena idea acercarme hasta el lugar del accidente y comprobar qué posibilidades existen de que la policía tenga alguna nueva pista en su poder. A fin de cuentas, ya hace más de una semana de aquello, así que nadie sospechará de mí si me ve por la zona. Deben de pasar cientos de coches al día por esa misma curva.

Cientos, sí, cientos... La diferencia es que solo uno de ellos protagonizó un hecho que perseguirá a su dueño el resto de su vida.

25

Tener una cena con tu marido para hablar de «vosotros».

Tener a la vez un chat con un amante al que le sacas veinte años para ver «si repetís».

Tener una colección de diecisiete e-mails anónimos llamándote «zorra» y «calientapollas» en una sola mañana.

Tener una conversación pendiente con tu mejor amigo para decirle que «lo sientes».

Y tener, por si todo eso fuera poco, a tu madre —sí, a tu señora madre—esperándote en casa convencida de que está a punto de hacerte un gran favor y con muchas ganas de obligarte a pagar, a su modo, por ello.

Mi noche no puede pintar mejor...

—¿Mamá? Has llegado pronto.

—Veo que te alegras de verme, Gaby.

—No seas tonta.

—Anda, ven, dame un beso.

—¿De verdad que no te venía mal?

—Claro que no. Leo apenas tuvo que insistir. Qué cariñoso es... Además, hace mucho que no paso tiempo a solas con mi nieto.

—A tu nieto, con un poco de suerte, lo verás fugazmente durante la cena. Antes y después estará en su cuarto. Mimetizado con algún monitor.

—En eso ha salido a ti.

—¿En qué, mamá?

—Los dos habéis necesitado siempre vuestro propio espacio.

—Sí, supongo que sí. Voy a vestirme.

—Claro, Gaby, no quiero retrasarte.

No sé cómo lo hace. Realmente no sé cómo lo hace. Pero tiene un don para hacerme sentir culpable con cada una de sus inocentes y comprensivas frases. No puedo acusarla —o sí, quizá sí que puedo y hasta debería hacerlo— de victimismo, pero es cierto que siempre ha sabido cómo mirar, cómo bajar o subir la voz, cómo jugar con mis emociones para que yo tenga la impresión de que, haga lo que haga, la estoy decepcionando.

No sé cuántas sesiones de psicoanálisis le he dedicado a ella. A veces creo que los padres, en vez de fondos de pensiones o cuentas para futuros estudios universitarios, deberíamos invertir en algún seguro psicológico para que nuestros hijos puedan desquitarse de todo lo que les hayamos frustrado, pretendiéndolo o no, mientras les educamos. Porque yo intento, juro que lo intento, no joder a Adrián de la misma manera en que siento que mi madre —mi padre no, mi padre no podía pintar gran cosa en una familia con dos mujeres con tanto carácter como nosotras— me ha jodido a mí. Por eso le insistía a Leo en que no quería que Adrián fuese hijo único, porque no quiero poner en él todas las expectativas que siento que pusieron en mí ni hacerle sentir que me decepciona del modo en que siento que decepciono yo a esta mujer que sabe camuflar de simples comentarios sus ácidos reproches. Pero Leo se negaba, porque la relación con su hermano tampoco era algo que quisiera para Adrián. Así que, al final, dejamos pasar el tiempo y las cosas se quedaron como están. Hijo único al que no sé si educamos o maleducamos entre los dos, al que a veces no soporto y por el que, es una putada esto de la maternidad, sé que, incluso cuando no lo aguanto, daría la vida. Y quizá si lo afirmo con tanta crudeza es porque hace años que sospecho que el egoísmo de mi madre —ese yo con el que anuló a mi padre hasta que se murió, con el que me anuló a mí en cada paso que intenté dar lejos de su gigantesca sombra— le impediría decir lo mismo de mí.

—¿Cómo va todo, Gaby? Hace mucho que no hablamos.

—Muy liada, mamá. Ya lo sabes.

—Eso está bien. Siempre dije que podrías triunfar en cualquier cosa.

—En cualquier cosa, no. Tengo limitaciones.

—Las que tú has querido ponerte, hija. Pero eso es natural. Hay que elegir.

—¿Me acercas esa chaqueta?

—Espera que le dé un planchazo. La espalda está algo...

—Déjalo, mamá. En el taxi se arrugará otra vez.

—Pero no tanto.

—No importa, de verdad. Voy con el tiempo justo.

—¿Y te hace feliz?

—¿El qué?

—Tu trabajo. Con ese ritmo que llevas... Apenas te veo.

—Sí, claro, me divierte.

—Nunca te ha entusiasmado.

—El trabajo es trabajo.

—En tu caso podría haber sido...

—Mamá, hoy no.

—Si yo no digo nada.

No, claro. Tú nunca dices nada. Tú nunca dices: pero insinúas. Y abres, una y otra vez, las mismas heridas. Las decisiones que tomé y que no se ajustaban a tus planes. Como cuando abandoné la música y me decanté por el mundo de la empresa. Nunca entenderé por qué te empeñabas en el conservatorio, en los conciertos, en la composición... Que sí, que se me daba bien, incluso creo que me gustaba. Hasta podría haber sido mi camino si tú no te hubieses empeñado en empujarme a él. Cuanto más me obligabas, cuanto más me hacías crecer ante tus amistades, ante nuestra familia, más empequeñecida me sentía yo. Nunca tuve esas dotes de las que presumías, nunca me vi reflejada en la hija que te inventabas —¿por qué tenías que mentirte?, ¿no era bastante con lo que había de verdad en mí?— y, quizá, ese rechazo a mi gemela idealizada fue lo que me hizo decidirme por un sendero en el que hay más de industria que de creación. Apenas hay creación.

—¿Salís por algún motivo especial?

—No... Bueno, ayer tuvimos un mal día.

—¿Tuviste un mal día?

—Tuvimos.

—Con tu carácter, seguro que no se lo pusiste fácil.

—Los dos estábamos un poco alterados.

—Con el ritmo que llevas, lógico.

—¿Y qué ritmo quieres que lleve, mamá?

—Un ritmo más normal. Estás muy acelerada, Gaby. ¿No te das cuenta?

Muérdete la lengua. Muérdetela. Es tu madre. Y la quieres. Y tiene una edad. Y lo que dice lo dice por tu bien. Aunque no se dé cuenta de que te hace polvo cada vez que habla. Ella no sabe lo que es ser tú. Ella se limitó a eso: a ser ella, a que la mantuviese, y muy bien, por cierto, el tipo apocado pero de buena familia con el que se casó. A asistir a cenas, a coordinar el servicio —porque, cómo no, en una casa de buena familia tenía que haber servicio—, a construirse su propia novela de E. M. Forster en un Madrid donde solo unos pocos podían darse ese lujo. Y todavía, cómo no, le duran esos aires de grandeza. Pero no se lo digas. No le digas que te recuerda a algún personaje de *Downton Abbey.* O de *Arriba y abajo.* No le digas que tú has preferido construir tu identidad a tu modo. Que tú eres de otra generación. Que su mundo forsteriano es caduco. Y decadente. Y hasta ridículo. Y que estás harta de que no valore todo lo que tú has conseguido sola. Que te duele que no vea el esfuerzo que haces desde hace años para que todo sea como es. Para estar donde estás, coño. Para estar donde estoy.

—Intenta que no se acueste tarde.

—Tranquila, Gaby. Adrián y yo nos entendemos bien.

—Te quiere mucho.

—Y yo a él. Es mi único nieto.

Hay que admitir que la capacidad de mi madre para enfriar un momento sensible es realmente excepcional. No sé cómo hemos pasado de enfatizar cuánto quiere el nieto a su abuela, y viceversa, a dejar claro que tal vez ese cariño no se deba más que al hecho de que no hay otro competidor con el que repartirlo. Quizá su frase no tenga intención alguna. Quizá solo sea una apostilla torpe. Pero el caso es que produce el mismo efecto que casi todo lo que mi madre dice. A veces, y eso sí que se lo he contado a mi psicoanalista, me pregunto si todo lo que hago no es más que el resultado de seguir compitiendo con ella. Con la imagen que se inventó de mí y que, a su modo, aún sigue manteniendo. Esa hija perfecta que no soy —pero de la que ella habla: e incluso recuerda— y que, pese a estar construida desde la mentira, es y será siempre mi mayor rival. No se puede vencer a alguien que no existe.

—¿Te vas ya?

—Sí, mamá. Gracias por quedarte.

—Lo hago encantada. Podrías pedírmelo más a menudo.

—Tampoco salimos tanto.

—Deberíais hacer algún viaje. Los dos solos. Yo puedo quedarme con Adrián.

—Cuando el trabajo nos lo permita.

—Antes te encantaba viajar.

—Y me sigue gustando.

—Todavía recuerdo cuando nos fuimos a Viena por lo de aquel encuentro de jóvenes creadoras. Estabas tan emocionada...

—Eran otros tiempos.

—Los mejores.

—Más fáciles, sí. Eso seguro.

—Hasta luego, hija.

Subo al taxi y compruebo que lo llevo todo. El bolso. La cartera. Las gafas de cerca para poder leer el menú. La Black-Berry para escribir, de camino, un e-mail a Jorge. Y, cómo no, la pegajosa sensación de fracaso, el angustioso *eau de* «has equivocado tu vida» con el que mi madre es capaz de rociarme y aromatizarme en apenas segundos.

No solo voy a encontrarme con Leo en el peor lugar de todos los posibles. No, es que también voy a hacerlo en el peor estado de ánimo imaginable.

Esta noche promete.

26

Estrenando zapatos italianos en la escena del crimen.

Es una forma curiosa de cumplir con el tópico del criminal que regresa al lugar de los hechos —porque, al final, está claro que se acaban cumpliendo— y también un modo muy incómodo de hacerlo. Quizá los zapatos me aprietan un poco (fueron regalo de Gaby: he decidido hacerle mucho la pelota). O quizá la incomodidad se debe al recuerdo de esa noche que nunca tuvo que haber sucedido.

Aquí no hay nada nuevo. Nada que me dé una sola pista de por dónde va la investigación. Nada que consiga acallar las dudas que tengo desde entonces. En el fondo, tampoco esperaba encontrar ese algo que, sin saber muy bien por qué, he venido a buscar. Pero como me sigue sobrando algo de tiempo hasta la hora en la que he quedado para cenar con Gaby, puedo aprovechar para conducir un poco más por esta zona. Indagar en el barrio residencial del que salía Alba la noche en que yo la... Bueno, esa maldita noche.

Casas idénticas. Vidas similares. Familias que entran y salen de sus domicilios. Que se saludan. O que se ignoran. Que, por supuesto, se desconocen. Luces encendidas. Ruidos reconocibles. Garajes que se abren. Maletines que bajan y que entran a cenar. Tacones que suenan en el empedrado. Nada: lo de siempre. Está claro que venir hasta aquí solo ha sido una forma de perder mi...

No pensaba encontrarme con ellos. Así que tengo que detenerme un segundo —y me hago a un lado frente a una de las casas del barrio— para encajar su presencia en este decorado. Mireia esquiva la mano de su padre, que parece empeñado en llevarla agarrada como si fuera una niña pequeña. Tranquiliza ver que no soy el único padre que se

hace un puto lío con los adolescentes. No quiere, ¿no lo ves?
A su edad ya pasan de nosotros. Pero él insiste. Y ella se
adelanta. Y él la sigue detrás, con esa paciencia infinita que
tenemos algunos padres —yo, por ejemplo—, mientras ella
se sigue mostrando esquiva. Y antipática.

La escena no tiene mayor importancia. O no la tendría
si yo no fuese el culpable de que Alba siguiese en coma. Si
yo no hubiese venido —de punta en blanco, eso sí— hasta
el mismo lugar en el que ocurrió todo. Si yo no me sintiese
tan mal por no tener una respuesta con la que excusarme,
de una vez por todas, por lo sucedido.

Podría bajarme del coche. Y enseñarle la curva a su padre. Incluso a su hermana. Sí, podría llevarles hasta allí y
describirles la situación. Ellos lo entenderían. Ellos tendrían
que entender que todo fue culpa de esa adolescente enloquecida. De esa chica que se propuso arruinarme la vida
porque sí. En un solo segundo.

Mireia echa a correr. Su padre intenta seguirla, pero, de
pronto, se detiene. No sé si mira hacia aquí. Ni si me ve.
Yo me agacho en el coche y adopto una postura tan ridícula que, si no me ha visto antes, ahora sí que tiene que
haberlo hecho. Debo de dar una imagen patética en esa
posición, aquí, parado. Y él, mientras ve cómo se aleja su
hija —qué manía tienen con salir corriendo las chicas de
esta familia— seguro que se ha fijado, durante un segundo, en mí.

—¿Espera a alguien?

—¿Cómo?

—¿Que si espera usted a alguien? Esto es propiedad
privada.

Es un chico joven. De unos treinta y tantos. Se ve que
no le ha gustado nada que un desconocido aparque su coche justo frente a su casa, así que ha salido —en mangas de
camisa: ¿quién sale a la calle en pleno enero en mangas de
camisa?— y me ha interrogado con cierta hostilidad para

que quede claro que no soy bienvenido. Por la musculatura que marca su camisa de cuadros —en esta zona, por lo del entorno natural, se ve que triunfa el rollo leñador— creo que lo mejor que puedo hacer es inventarme algo y marcharme cuanto antes de aquí. Por supuesto, lo que me invento es demasiado estúpido como para no meter la pata... Otra vez.

—Sí, he quedado con unos amigos. Me esperan para cenar, pero creo que me he perdido.

—Yo puedo ayudarle. ¿Sabe el número de su chalé?

—Sí, es el 65.

—Aquí solo hay hasta el 57.

—Vaya, por eso no lo encuentro.

—¿No será el 55?

—Sí, claro, será.

—Solo tiene que seguir hasta el final y coger la primera a la derecha.

—La primera a la derecha... Perfecto.

—Y ahora, si no le importa... Nos gusta tener la salida de la casa libre.

—Claro, claro. Lo entiendo. Gracias y buenas noches.

Venga, Leo, que no tiene importancia. Solo has dicho mal el número. Cualquiera se confunde cuando va a visitar a alguien por primera vez. Y marcas mal el piso. O te metes en el portal que no es. O subes por la escalera equivocada. ¿Qué importancia puede tener este detalle? ¿Quién va a preguntarle por este diálogo tan insignificante al vecino no-sé-quién del chalé no-sé-cuántos? Ni que la policía se tomara tan en serio su trabajo... Además, hoy vas a hablar con Gaby sobre Hugo, hoy vas a saber cómo puedes encontrarte con él y averiguar así todo lo que necesitas saber para estar seguro de que sigues a salvo. Porque lo estás, Leo. Pues claro que lo estás.

Así lo creo, de veras, hasta que observo, gracias al indiscreto retrovisor de mi coche, cómo el padre de Alba se acerca al vecino hipermusculado de la camisa a cuadros y le pregunta, quizá, por mí.

Y ahora que ya he dado un nuevo paso en falso —lástima no tener tiempo para ponerlos por escrito, porque me iba a reír de lo lindo recordándolo—, puedo seguir carretera adelante hasta el restaurante en el que me espera Gaby, con la esperanza, cada vez más lejana, de no volver a equivocarme. Con ella, al menos, no.

27

«El actor ha caído».

«Me alegro :-)».

«Comemos el lunes y te cuento?».

«Genial».

«:-*».

No recordaba que con Jorge es así de fácil. Nos hemos enfadado unas cuantas veces, pero siempre acabamos reconciliándonos sin necesidad de grandes melodramas previos. Y yo que pensaba mandarle un correo a lo hermanas Brontë, con todo tipo de circunloquios y explicaciones... Como si él no entendiera, sin palabras, mi forma de actuar. Y mi carácter... Que en eso hasta puede que mi madre sí que lleve razón —de vez en cuando, nuestros complejos se parecen mucho a nuestro verdadero yo— y por eso no tengo demasiadas amistades —Jorge, Lorena y, a ratos, Sandra e Inma— capaces de aguantarme en todos mis estados. Líquida, sólida y efervescente. Como esta noche, que entre la reconciliación con Jorge (tan inesperada como reparadora) y los planes con Hila (¿mejorarán el previo?), hasta se me ha medio pasado el enfado con Leo, que, a fin de cuentas, tampoco hizo mucho más que defenderse de mi desproporcionado ataque por su tonta omisión. Un golpe en el coche, ya ves qué drama. Pero a veces se necesitan pequeñeces así para liberar otro tipo de cosas. Y hoy, por eso, estoy en el lugar donde intenté serle infiel esperándole para que hablemos —horrible tema— de nosotros.

—¡Qué puntual!

—Salí antes.

—Estás muy guapa, Gaby.

—Tú también.

El principio es sencillo. Además, siempre que Leo pretende arreglar algo se le aviva la inteligencia emocional. El halago a mi aspecto no es algo que haga con frecuencia, pero si necesito que apuntale mi autoestima, solo necesito ponerlo en la tesitura de pedirme perdón para que, justo antes de hacerlo, me recuerde lo guapísima que me encuentra. Lo estilosa que soy. Y lo bien que me queda la ropa que llevo, aunque, con su desinterés por estos temas, nunca sepa si acabo de comprármela o si, como la de hoy, es de hace ya unas cuantas temporadas.

—¿Pedimos?

—Pidamos.

Hablar de una crisis de pareja en un restaurante como este es, y ahí sí que tengo que felicitar a Leo por su elección, bastante cómodo. Entre la multitud de platos que hay para elegir, la cantidad de camareros que se pasean por la mesa preocupándose de que todo esté en orden y el ingente número de aperitivos con el que justificarán luego lo abultado de la factura, tampoco quedan muchos huecos en blanco que rellenar, así que el festival gastronómico es garantía de que hasta la más callada y hostil de las parejas podrá pasar, odiándose en riguroso silencio, una noche estupenda.

No es, tampoco, nuestro caso. Estamos aburridos, sí. Y hasta hemos dejado de sentirnos tan seguros de conocernos de verdad, pero nos queda un largo camino hacia el

odio o el rencor, si es que llegan. No es que tenga muchas
ganas de sentarme a arreglarlo todo entre nosotros, pero sí
sé que me es mucho más cómodo dejarlo como está en lugar de lanzarme a romper y asumir una independencia
que, al menos en lo pragmático, se me antoja complicada.
No me apetece dividir cosas, ni repartir al niño, ni calcular
sueldos y pensiones. No me apetece complicarme la vida
cuando empiezo a ver que puede enriquecerse de modos
mucho más discretos. Con cabeza, como dice Lorena. Y con
algo de imaginación, como repite Jorge. Por eso, entre
plato y plato, apuesto por la reconciliación y el entendi-
miento, aunque la obcecación de Leo no me lo ponga fácil.
Él, una vez pasada la fase automatizada del halago, en
esto del diálogo emocional siempre se pierde un poco. Lo
tiene, digámoslo así, muy poco trabajado.

—Mira, Gaby, yo creo que...
—¿Sí?
—Déjame terminar.
—Perdona.
—Creo que lo de ayer fue una estupidez.
—¿El qué exactamente?
—Pues todo.
—Sí, ahí sí tienes razón.
—Yo creo que lo sacaste de quicio...
—¿Yo sola?
—Puede que yo también, pero...
—¿Solo puede?
—Es que me acorralaste.
—¿Cómo dices?
—Con lo del coche. Te pusiste hecha una fiera. Como si
a ti no se te olvidara contarme un montón de cosas.
—¿Crees que no te digo la verdad?
—No, no he dicho eso, nena.
—¿Y lo del nena ese de dónde sale? Porque la palabrita
me pone un poco...

—¿No te gusta?

—No sé, Leo. Suena un poco ochentero, ¿no?

—A eso me refería antes.

—¿A qué?

—Que lo analizas todo, Gaby. Todo. No se puede decir nada sin que tú lo juzgues. Y luego...

—¿Qué?

—No, nada, olvídalo.

—¿Qué ibas a decir, Leo?

—Que luego te quejas de tu madre. Que si te juzga, que si te estudia con lupa... Pero tú haces lo mismo.

Golpe bajo. Bajísimo. Los golpes bajos duelen no porque no sean esperados, sino porque son ciertos. Y sí, puede que yo, de tanto esforzarme por alejarme de ella, haya terminado pareciéndome mucho. Las dos dominamos bien las palabras. Las dos sabemos doblarlas, o estirarlas, o hasta arrugarlas si viene al caso con tal de conseguir en nuestro interlocutor el efecto deseado. Son años sufriendo sus discursos de la mujer que yo debería haber sido, y defendiéndome de ellos, como para no haber aprendido algo al respecto. Lo que no sé es qué modelo, el mío o el de Leo, estará construyendo ahora Adrián. En lo de los portazos sale a mí. Y en lo de los gruñidos y los silencios herméticos, a su padre.

—Tenemos que trabajar más el diálogo. Creo que nos crispamos demasiado. Y demasiado pronto.

—En eso quizá tengas razón, Gaby.

—Vaya, algo en lo que estamos de acuerdo.

—En eso y en que el vino es genial.

—Sí, es genial. Eliges bien.

—Tú eres un buen ejemplo.

—No seas tonto, anda.

Pero me gusta que lo sea. Sí, me encanta que él me diga que soy su mejor elección a la vez que mi móvil vibra con lo que, estoy segura, es el mensaje de otro alguien que también quiere escogerme a mí. Son dos elecciones diferentes, claro, una es de vida y la otra solo de cama, pero ambas me hacen sentir algo menos insegura en una etapa en la que todo parece que es mucho más frágil de lo que debería.

—No sé, Leo, tuve un mal día. Discutí con Jorge y...

—Vaya, ¿y eso?

—Una bobada.

—No debe de estar en su mejor momento. Por lo de Hugo, digo.

—Sí.

—¿Y qué tal le va?

—¿A Jorge? Como siempre.

—¿Y a Hugo?

—¿Hugo?

—Sí, ¿qué es de él?

—No lo he visto desde que rompió con Jorge.

—¿Pero sigue en la policía, no?

—Claro. Supongo, sí.

—¿Y hacen algo juntos?

—¿Jorge y él? Qué va... Si ni siquiera casados compartían demasiadas cosas. Son de gustos distintos. En eso nosotros, por ejemplo, sí que...

—¿A Hugo no le va el teatro?

—¿Cómo?

—El teatro, que si no comparte con Jorge lo del teatro. Hemos ido los cuatro juntos más de una vez.

—Pues no sé. Creo que Hugo es más dado a todo lo que tiene que ver con el deporte.

—¿Entonces iban juntos al gimnasio?

—¿Jorge? ¿Al gimnasio? Jorge no ha pisado un gimnasio en su vida... Los odia. Sale a correr conmigo solo porque yo le obligo. Pero nada más.

—¿Y Hugo?

—¿Hugo qué?

—Que si Hugo va al gimnasio.

—Sí, claro. Sí. En su trabajo es importante estar en forma.

—¿Y sabes a cuál?

—¿Que si sé a cuál? ¿Qué pasa? ¿Que te vas a inscribir con él?

—Es que quiero ponerme un poco a punto.

—¿Tú? ¿A punto?

—La crisis de los cincuenta, supongo.

—¿Y la crisis de los cincuenta incluye que de repente te interese tanto el ex de mi mejor amigo?

—No, Gaby, solo es curiosidad. Luego dices que no te pregunto por tus cosas.

—Exacto, mis cosas. Y mis cosas no tienen nada que ver con el gimnasio al que va Hugo. Es que no sé qué hacemos hablando de él, la verdad... Esto es surrealista.

—¿Ves? Nunca acierto. Lo intento, cariño, pero es que nunca acierto.

—Pues pregunta por mí.

—¿Qué me quieres contar?

—Que hoy me han amenazado por e-mail, por ejemplo.

Le cuento lo de mis e-mails y noto que experimenta, exactamente, la misma reacción de ayer. Le da más importancia que yo misma y, en vez de serenarme, me preocupa. Saca, sin que venga a cuento, el tema de David y traza una relación absurda entre mis anónimos y Hugo, del que hace meses que no sabemos nada y del que no entiendo por qué tenemos que hablar precisamente ahora. Hasta me ha hecho sentir un poco incómoda con tanta pregunta ridícula, porque temía que quisiese saber cómo fue esa cena que nunca tuve con Jorge. No se me da bien mentir (a los demás, porque a mí misma creo que cada vez me miento con algo más de soltura) y prefiero que no me pongan en situaciones complicadas que me obliguen a hacerlo.

La conversación sobre «nosotros» sigue ampliando el pronombre —David, Alejo, Manu, Inés, Adrián, Jorge y, cuando menos lo espero, otra vez Hugo— hasta que caemos en la cuenta de que lo que menos ha sonado ha sido el binomio «tú y yo» que, supuestamente, veníamos a arreglar. Leo lo resume todo en un «nos ha venido muy bien» y yo finjo que sí, no tanto porque me haya servido de gran cosa, que no lo ha hecho, sino porque el horizonte más allá de esta cena, con H de Hila, me parece lo bastante apetecible como para no querer arruinar esta velada y contentarme con haber disfrutado de una conversación entre ágil y kafkiana al ritmo de un menú delicioso. Algo es algo.

28

—Al final no hemos llegado tarde.

—Por poco.

—Pero no hemos llegado tarde.

—No, Adrián, tienes razón.

—¿Veis? ¿Veis como no hemos llegado tarde?

Mi hijo tiene la costumbre de no conformarse con que le des la razón una sola vez. No, él necesita que se la des manera continuada y restregarte, hasta la náusea, que te has equivocado al intentar llevarle la contraria. No sé si en eso ha salido a su madre —en realidad, Gaby no suele ser tan obstinada— o si es un gen capullo que se nos ha colado de alguna generación anterior para regocijo de la generación presente.

—Me habéis hecho correr para nada. No llegábamos tarde.

—Ya está bien, ¿no?

—Pero, mamá...

—Te hemos dado la razón. ¿Qué más quieres que hagamos? ¿Nos fustigamos con un látigo o algo?

Los siete pisos en ascensor se hacen eternos —diría que claustrofóbicos— y me hacen plantearme qué prefiero. La opción 1 es que el ascensor se detenga, que nos quedemos encerrados durante un par de horas —el aire dará para dos horas, ¿no?— y que vengan a rescatarnos justo cuando estemos a punto de cometer algún tipo de homicidio voluntario contra el contumaz adolescente. La opción 2 es que el ascensor suba sin problemas y nos permita llegar, puntuales, a la comida familiar en casa de mis padres, con el consiguiente ritual de confraternización que tienen estos eventos llamados cumpleaños. Y la opción 3 es asumir que estoy sintiendo, de nuevo, un conato de ataque de pánico —y ya van no sé cuántos en la misma semana—, marcar el botón del bajo y coger el coche rumbo a casa, inventando alguna excusa más o menos creíble que permita que mi padre me perdone por no haberle acompañado en su día.

Por supuesto, se impone la opción 2 y mi madre nos recibe con una gran sonrisa y el «cuánto has crecido» de rigor. En realidad, yo creo que Adrián no ha crecido prácticamente nada en estos meses, pero tampoco me parece necesario discutir semejante trivialidad, así que dejo que él y su carácter se defiendan solitos de los besos, pellizcos y demás gestos de afecto familiar que le dedican sus abuelos.

—Llegas pronto.

—Puntual, dirás.

—Pues eso, pronto. Mira, os presento. Este es mi hermano, Leo. Y su mujer, Gaby. Esta es Celia.

—Encantada.

—Lo mismo digo.

Celia y Gaby empiezan a charlar enseguida (y en solo unas cuantas preguntas averiguamos que Celia es fotógrafa, que trabaja para una agencia de noticias, que se pasa el día viajando de acá para allá y que su trabajo, aunque le gusta mucho, no le parece que esté lo bien pagado que debería) y yo, entretanto, me quedo con Manu, cada uno sosteniendo su regalo y pensando quién será el primero en entregar el suyo.

—¿Qué le has comprado?

—Una tontería, Manu. ¿Y tú?

—Un cedé.

—Parece maja... Celia, digo.

—Es estupenda.

—¿Nos sentamos?

Asentimos a la pregunta de mi madre y dejamos que mi padre sea, durante un rato, el protagonista de la comida. Nos cuenta algunas anécdotas que nos conocemos de memoria, intenta que su nieto le responda preguntas que, por supuesto, Adrián solo contesta con síes-noes-nosés, y trata de sacar algo de información de la nueva chica de Manu, una pelirroja espectacular de la que no nos ha hablado nunca y con la que, según dice, solo lleva un par de meses.

—Vamos a vivir juntos.

—¿De veras?

—En cuanto nos conocimos supimos que iba en serio.

—¿Y no os da algo de pereza, Manu?

—¿Pereza?

—No sé, ahora, a vuestra edad...

—Leo, que Celia es aún más joven que yo.

—Pero tenéis vuestra vida hecha. Los dos, de forma independiente. ¿Realmente os apetece cambiar eso por una convivencia?

—Vaya, después de tantos años de matrimonio ahora me entero de que tu modelo ideal es vivir cada uno por su cuenta.

—No he dicho eso, Gaby.

—¿Ah, no?

—Manu y yo queremos intentarlo. Yo hace tiempo que no vivo con nadie.

—¿Divorciada, separada...?

—Separada, Gaby. Bueno, algo así. Tampoco me apetece hablar de eso.

—¿Alguien quiere más postre?

—No, mamá.

—¿Cuándo voy a poder ver mis regalos?

—Enseguida, papá.

—Adri, ¿tú? ¿Te pongo un poco más?

—¡Que no, abuela!

—¿Puedes ser menos borde, hijo?

—No soy borde. He dicho que no quiero.

—Déjalo, si es que la abuela le agobia un poco, ¿a que sí, Adri?

—Joder, que no me llames Adri.

—¡Adrián! ¿Quieres hablarle bien a tu abuela?

—¿Y dónde vais a vivir, Manu? ¿En su casa o en la tuya?

—Tenemos que pensarlo, Leo.

—Si quieres, nosotros podemos vivir separados también. Por lo de la convivencia, digo.

—No seas tonta, Gaby.

—¿Cuándo me vais a dar mis regalos?

—Enseguida, papá.

—Abuela, que te he dicho que no me pongas más.

—Solo es un poco, Adri.

—Joder con Adri.

—¿Te quieres comportar?

—Si soy yo, que lo pongo nervioso. ¿Verdad que la abuela te pone nervioso?

—Y mis regalos, ¿qué? ¿No me va a dar nadie mis regalos?

—El abuelo tiene razón, joder.

—Ya está bien, Adrián. Otro taco más y...

—A mí, por menos que eso, ya me habrían dado una buena bofetada.

—Pues claro, abuelo, porque eres de otra época. No te digo.

—Anda, vamos a ver esos regalos. Leo, ¿dónde has dejado el tuyo?

—Luego se lo doy.

—¿Pero por qué no se lo das ahora?

—Luego, Gaby. Ahora está hablando Celia.

—No, si yo no decía nada. Solo que estamos contentos con la idea.

—Manu es un buen partido.

—Mamá, no me avergüences...

—Hijo, si es la verdad. No tendrás el dineral de tu hermano, pero eres un buen chico.

—Yo tampoco vivo montado en el dólar...

—Por lo menos, Leo, tú no tienes que plantearte qué hacer con tu negocio.

—¿No va bien, Manu?

—No, Gaby. Nada bien. Se lo conté a tu marido cuando le pedí el crédito que me negó.

—Ya estamos.

—Quiero ver mis regalos. ¿Nadie tiene interés en darme el suyo?

—Y se lo volví a contar luego, cuando vino a recoger su coche.

—Ah, sí, el coche... Es que ese día no hablamos mucho.

—¿Me dais mis regalos o no?

—Abuelo, aquí van todos a su puta bola, ¿no lo ves?

No sé si la bofetada que le acabo de dar a Adrián es consecuencia de su enésimo taco. O de su forma de hablar con sus abuelos. O de su chulería constante. O de lo nervioso que me está poniendo que vuelva a salir, ¡otra vez!, el tema del coche. O de lo desagradable que está Gaby conmigo desde que se me ha ocurrido decir algo a favor de la independencia conyugal. Y hasta de lo que me agobia que mi hermano insista en que entreguemos los regalos. ¿Qué quiere? ¿Que le dé a mi padre el iPad de ultimísima generación que le he comprado delante de todos, para avergonzarle si cabe todavía un poco más? Y luego seré yo el prepotente, y el capitalista, y el cabronazo ese que se inventa Manu cuando necesita echar toda su mierda en alguien. Sí, lo seré porque él se ha empeñado en que le dé el regalo a nuestro padre justo después, o justo antes, eso da igual, del suyo. De su puto cedé.

Así que, entre unos y otros, la bofetada se la lleva mi hijo, que para algo es el adolescente en esta comida y, por tanto, el candidato lógico para recibirla. Pienso, en mi descargo, que no le viene mal —su nivel de hostilidad supera, con mucho, lo razonable—, pero eso, por supuesto, no evita que mi mujer me haga ver que he actuado mal, que mi madre monte un numerito infumable, que mi hermano me diga que no sé educar a mi hijo —me encanta que él, precisamente él, opine sobre eso— y que Celia se sienta, como no podía ser menos, terriblemente incómoda y fuera de lugar en esta friki-comida-familiar.

El berrinche de Adrián —Adri, para los abuelos— dura tan solo unos minutos, hasta que mi padre lo calma dándole veinte euros que él, en un acto de chantajista precoz, consigue convertir en cuarenta. Tras el soborno, está mucho más tranquilo y conversador (¿eso también lo ha heredado de mí?). Hasta aguanta lo de Adri con estoicismo, aunque a mí, por supuesto, me mire con rencor y me desee unos cuantos tormentos que, por pura pereza, no le pediré jamás que me describa.

Gaby, que tampoco tiene ganas de hablar conmigo, hace un aparte con Celia y a mí me toca —genial...— hablar con Manu e interesarme por lo de su taller. Como no me apetece nada que me relaten malos rollos ajenos —bastante tengo ya con los míos— opto por intentar hablar de temas personales, a ver si con eso consigo que la tarde acabe algo mejor de lo que ha comenzado.

—¿Así que vais en serio?

—Sí.

—¿Y cómo os conocisteis?

—En el gimnasio.

—¿Estás de coña?

—No. Un día, en la sala de máquinas. De la forma más tonta.

—Mira, Leo, lo mismo allí triunfas tú también.

Me pone enfermo esa puta manía de mi mujer de estar siempre atenta a las conversaciones de los demás. Se supone que estaba hablando con la chica de Manu, pero no, estaba simultaneando esa charla con su atenta escucha a lo que yo le decía a mi hermano. Así que, sin darse cuenta de que estamos en un tema espinoso, hace un comentario fuera de lugar que, quién sabe, tal vez tenga consecuencias más adelante.

—¿Tú? ¿En un gimnasio? ¿Y desde cuándo, Leo?

—Se apuntó ayer, ¿verdad, cariño?

—Quiero ponerme en forma.

—Estás delgado.

—Ya, pero estar delgado no es lo mismo que estar en forma.

—Ahora se nos va a hacer vigoréxico, Manu, fíjate tú.

—¿Qué es eso, Gaby?

—¿Esto? Una copa.

—Ya.

—¿Ese ya qué significa?

—¿Y a qué gimnasio vas?

—A uno.

—¿Qué pasa, hermano? ¿Es un secreto?

—A mí tampoco me lo ha dicho. Ahora que lo pienso, Leo, no me lo has dicho.

—Y qué más da. Una cadena americana de esas.

—¿Un Holiday?

—Exacto.

No. Claro que no es un Holiday. Se llama Apolo y es un sitio con una clientela mayoritariamente gay donde resulta

evidente, desde el minuto cero, que no pinto absolutamente nada. Pero no puedo decirles ese nombre. No puedo
porque, seguramente, se reirían (demasiado obvio) y, sobre todo, porque no quiero que Gaby descubra —por azar:
el azar cada día está más cabrón conmigo— que es el mismo
gimnasio de Hugo. Bastante me costó convencerla de que
mi interés por él era solo accidental como para que esta-
blezca, ahora, un nuevo lazo. Además, tampoco ha sido
fácil dar con ese sitio como para estropearlo precisamente
ahora. Primero tuve que recordar dónde vivía Hugo; después, patearme la zona en busca de gimnasios; y, por último, pasar por ese barrio con mi coche a horas inverosí-
miles hasta que por fin pude verlo entrar, con su bolsa de
deporte, en uno de ellos. Apolo. Un sitio donde los habituales tienen brazos del tamaño de mis piernas y en cuyos
vestuarios me siento como si me hubieran soltado desnudo en medio de una sauna de Chueca. Una experiencia
que, problemas criminales aparte, ningún hombre en mi
situación debería perderse. Para nada.

—Se está haciendo tarde.

—¿Tienes algo que hacer?

—Siempre hay cosas que hacer, Manu.

—Pensaba que los banqueros descansabais fuera de la
oficina.

—A menudo, sí. Pero no siempre.

—¿Os vais entonces?

—Sí, papá. Luego lo abres, ¿de acuerdo?

—Que lo abra ahora, ¿no?

—Eso, que lo abra ahora.

—No, Gaby, déjalo. ¿Adrián, estás listo?

Mi hijo no me dirige la palabra. Mi mujer ayuda a mi padre a abrir su regalo. Mi hermano me mira con recelo y mi
madre, que siempre ha sido a quien he engañado con más
soltura, me observa con auténtica y profunda admiración.

—¡Coño, qué bien!

Mi hijo mira el regalo de su abuelo con envidia. Mi mujer, con indiferencia. Mi hermano, con ira. Y mi madre, eterna en su ignorancia de cómo soy, con la misma admiración con que me miraba a mí antes. Hay cosas que no cambian.

—Se te da bien, Leo.

—¿El qué, Manu?

—Dejarme en mal lugar.

—Te propuse comprar algo a medias.

—Te dije que no me iba bien con el taller.

—Yo no tengo la culpa, joder. Estoy harto de que parezca que soy yo el que ha hecho estallar la puta burbuja.

—Tú eres uno de los que ha hecho que eso ocurra.

—Solo hago mi trabajo.

—Tu trabajo es una mierda.

—Venga, chicos, dejadlo.

—Tranquila, Gaby, que no hay más que hablar aquí. Eso sí, la próxima vez que no quieras dar parte al seguro de un accidente, le llevas tu coche a otro pringado.

—Veo que te costó mucho hacerme un triste favor.

—Y a ti te cuesta mucho ser sincero conmigo. ¿Una columna? Venga, no me jodas. Tú sabrás dónde te has metido.

—¿De qué está hablando, Leo?

—De nada, Gaby. Cuando le entran los arrebatos de ira, no razona bien... Así que ya lo sabes, Celia, piénsatelo antes de dar el paso. Que a lo mejor, como le dé la vena arreglamundos y tocapelotas, vas y te arrepientes.

Mi hijo me mira con estupor. Mi mujer, con desconcierto. Mi hermano, con rabia. Y mis padres, con una mezcla de pena y de condescendencia. Saben que Manu y yo no nos llevamos bien, pero tampoco sé hasta qué punto son conscientes de que ellos han sido los responsables de labrar, paso a paso, ese abismo que hoy se alza entre nosotros. Tampoco es que sea solo culpa suya, pero, al menos en parte, sí que puedo responsabilizarles a ellos también de algo. Y no solo juzgarme a mí mismo, para variar.

—A lo mejor te lo explica a ti.

—¿El qué, Manu?

—No le hagas caso, Gaby, y suelta esa copa, anda.

—Espera que me la termine.

—¿No has bebido suficiente?

—Acabo de empezar.

—Estupendo.

—Oye, hijo, ¿y esto cómo va?

—Que te lo explique tu nieto.

—Adri.

—¡Que no soy Adri, joder!

Respiro hondo. Contengo mis ganas de darle una segunda bofetada y, en vez de eso, decido fingir una llamada al móvil para poder encerrarme en el baño y no ver a nadie. Sin sentirme mirado —como sea que me estén mirando— por todos y cada uno de ellos. Ahora tengo claro que el tema del coche volverá a plantearse. Que Gaby querrá indagar un poco más —sí, en eso puede ser tan tenaz como su hijo— y que Manu acaba de abrir una puerta por la que puede que todo me conduzca, más rápido de lo que yo esperaba, al mismísimo infierno.

Dejo pasar casi quince minutos y, cuando salgo, la situación parece estar ya más calmada. Todo el mundo finge una serenidad aparente y, antes de que se masque la tragedia, convenzo a Gaby y a Adrián para despedirnos, subir en el coche —ese del que Gaby quiere ahora una explicación más detallada— y regresar a casa.

«Un cumpleaños realmente inolvidable», dice mi madre en un mensaje. Y a veces no sé si es tan ingenua como parece o si, simplemente, es un ejercicio de sadismo sutilmente disfrazado de candor e inocencia. Hoy, en esta fecha *inolvidable*, no lo tengo muy claro.

Dos

29

No es que la tarde haya sido memorable, pero, comparada con nuestro primer encuentro, sí que ha mejorado bastante.

Si cuando nos conocimos se mostró cohibido, en esta segunda ocasión Hila ha hecho gala de unas dotes y habilidades que compensan, con creces, la timidez de su estreno. Quizá es que hoy la presión del tiempo —solo dos horas, Hila, solo dos horas si no quiero que me echen de menos...— ha jugado a nuestro favor. Puede que sabernos con tiempo límite nos haya obligado a utilizar nuestras mejores estrategias. O puede que, simplemente, su orgullo masculino acabara tan herido la primera vez —fui un poco bruja, lo sé— que hoy sintiera la necesidad de demostrarme cuánto me equivocaba.

Ha puesto más energía que sutileza, pero admito que no me ha importado nada el cambio. Había olvidado —sí, esas cosas se olvidan— la carga de adrenalina de los veintitantos y me había habituado demasiado al sexo algo más sereno y dosificado de los casi cincuenta. En su caso, la sabiduría o las tretas se cambian por fuerza bruta, por ganas incontrolables, por capacidad de entrega y voluntad —ilimitada— de satisfacción. No es egoísta. No piensa en él. No tiene ni un rasgo de esos que siempre he detestado en la cama. Y tampoco me habla. Ni me dice nada que me distraiga. Solo alguna frase adecuada. Alguna pregunta oportuna. Algún toque agresivo cuando lo necesito. Nada de palabras cariñosas. Nada de apelativos infantiles. Nada que me distraiga del sexo adulto que prometíamos en nuestros primeros e-mails y que esta tarde por fin se ha hecho real.

También ha ayudado mi conversación con Jorge. «Deja de jugar a ser su madre, coño». Así lo ha resumido, sin tacto, pero con eficacia.

—Es joven, ¿y qué? Tiene una edad más que razonable.

—¿Y el tuyo?

—Mi actor es otra cosa.

—¿Por?

—Porque el mío no busca acostarse conmigo. Busca que yo me acueste con él, que es diferente. Quiere que le deba un favor y, a ser posible, que se lo traduzca en un papel en alguna función.

—A lo mejor no es eso, Jorge.

—No soy un ingenuo.

—¿Pero te gusta?

—Me excita. Es diferente.

—Y algo te gusta.

—¿Y eso?

—Eso lo sé porque te conozco demasiado bien. No sueles hablar tanto de gente que no te gusta. Y desde lo de Hugo, es el primer chico al que le dedicas más de cinco minutos de conversación.

—Aún no le hemos puesto nombre.

—¿Tadzio?

—Demasiado tópico.

—Tú dirás.

—Creo que se llama César.

—Pues entonces, César.

—Y tú, déjate de rodeos, y repite con Hila. Dale una oportunidad. Se la estás negando desde el principio.

—Ya se la he dado: quedé con él.

—Sí, y te llevaste tu instinto maternal y tu conciencia culpable contigo. Demasiada gente en un piso tan pequeño, ¿no crees? La próxima vez, mejor ve sola.

—No sé si habrá una próxima vez.

—Debería.

—¿Y tú con César?

—Yo con César estoy jugando a que me hagan daño.

—Ten cuidado, ¿de acuerdo?

—La precaución y el deseo son incompatibles, Gaby.

No siempre. Eso tenía que haberle contestado, pero a menudo me quedo sin respuesta ante las grandes sentencias de Jorge. De vez en cuando, agradecería que no se expresara como un libro de citas, aunque me haga gracia y, en el fondo, casi siempre tenga razón en lo que dice. Esta tarde con Hila, sin embargo, es un buen ejemplo de que sí se puede conciliar la prudencia y la pasión, porque a pesar de que me haya olvidado de todo, incluso de mí misma, durante estas dos horas, ahora recupero la compostura y la sensatez justo a tiempo. Con el tiempo exacto para llegar a casa antes de que alguien pueda preguntarme que dónde estaba, o que por qué no había avisado, o que cómo es posible que cada día llegue más tarde. No necesito exagerar mi horario de trabajo para que este retraso sea creíble y, teniendo en cuenta cómo están las cosas en mi empresa, se agradece que pueda volver con una expresión de cierta felicidad, sea de la naturaleza que sea, y no con la cara de miedo con la que, por culpa de los dichosos anónimos, entré en su piso.

—¿Pasa algo?

—No, Hila. No pasa nada.

—¿Quieres hablar?

—¿La verdad?

—Sí.

—No quiero ni una palabra. Quiero que me hagas el amor... Nada más.

Al principio pensaba que me iba a ser difícil concentrarme. Olvidarme de los nuevos e-mails que, esta vez con amenazas algo más elaboradas y concretas, han invadido mi buzón de correo. Creí que no podría dejar de hacer conjeturas, porque no tiene sentido que su autor sea aquel cibernauta despechado, y empiezo a sospechar de gente como Lara, de alguno de esos cadáveres profesionales que, por culpa del trabajo, se han ido cayendo en mi camino... Estaba convencida de que la tarde de hoy sería incluso peor que la primera vez, porque ni el encuentro previo con Hila prometía ni mi estado emocional era el más óptimo. Y, sin embargo, quizá por todo eso, hoy sí que gemí y grité sin límites. Hoy sí que me dejé llevar por donde él ha querido llevarme. Hoy sí que salgo de aquí con la sensación de haber disfrutado cada rincón de mi piel, y de la suya, y con ganas de que esa química, brutal e irresponsable, vuelva a suceder.

30

Me he hecho el encontradizo.

Al menos, lo he intentado. Porque hacerse el encontradizo en un vestuario minúsculo lleno de tipos ciclados y con dimensiones mastodónticas es muy difícil. Tampoco se puede decir que hacerme el encontradizo con Hugo en pelotas me haya parecido una situación especialmente agradable, pero no se me ha ocurrido otra forma de abordar el asunto.

(Yo finjo cara de sorpresa).

—¿Hugo?

(Él se sorprende de verdad).

—¿Leo?

(Sigo fingiendo que no esperaba encontrarlo).

—¿Qué haces aquí?

(No solo le sorprende verme, sino también la estupidez de mi pregunta).

— Entrenar, ya me ves.

(Intento pensar algo con lo que entablar una conversación con él).

—Ja, ja, igual que yo.

(No da crédito. Normal).

—¿Y desde cuándo vienes por aquí?

(¿Miento? ¿Si digo la verdad no resultará muy obvio?)

—Pues hace un par de meses.

(Me analiza y decide, tras mirarme rápidamente de arriba abajo, que esos dos meses no me han cundido nada).

—Si necesitas ayuda, te puedo hacer una tabla. Hace años curraba de entrenador personal.

(Curraba... El tema del trabajo. Ahí está. Solo tengo que encontrar cómo).

—¿Ahora ya no?

(Muerde el anzuelo).

—¿Ahora? Imposible. En la comisaría nos sale el trabajo por las orejas. Con lo de los recortes a los funcionarios, nos han dejado en cuadro.

(¿Lo saco ahora? Como deje pasar esta ocasión quizá cambie de tema y sea muy tarde).

—Ya me imagino. Por cierto, ¿sigues con lo que estabas?

(Desconcertado. No sabe de qué le hablo. Y sigue sin vestirse. No me gusta interrogar a un tío que no se viste).

—¿Con qué?

(Vamos, Leo, lánzate).

—Con lo de aquella chica. Eso que me contaste.

(Busca algo en la taquilla. A ver si con un poco de suerte ese algo es su ropa. La situación empieza a ser incómoda).

—Sí, entre otras cosas.

(Tanto dejarme la piel haciendo pesas toda la tarde para nada. No pienso irme con unas agujetas de la hostia para esa mierda de respuesta).

—¿Pero habéis avanzado algo?

(No encuentra lo que busca. ¿O sí? Ah, ya lo tiene. Hay que joderse: es su reloj. El cabrón se va a poner primero el reloj).

—Un poco. Hemos encontrado a un testigo que dice que vio algo. No sé, habrá que contrastarlo antes. Siempre hay gente que dice saber cosas que luego no son ciertas.

(Trago saliva mientras otro tío que tampoco parece encontrar su ropa en la taquilla me quita parte del banco en el que estoy sentado).

—¿Has hablado ya con él?

(Empieza a sentirse incómodo. Y no por su desnudez, sino por mis preguntas).

—¿Y ese interés?

(Esa respuesta sí que la tengo preparada. Ahí va).

—No sé, me preocupa que ocurran cosas así. Desde que me lo contaste no he dejado de pensar en ello. Adrián tiene la misma edad que esa chica y... En fin, no tengo ni idea de lo que yo haría si fuera ese padre.

(Funciona: noto que mi contestación se ajusta a lo que le parece razonable. El sentimiento paternal nunca falla).

—Normal. Pablo, el padre, está destrozado. Y lo peor es que la investigación va para largo. Todavía no tenemos muy claro qué hacía Alba por allí. Todo es un poco extraño.

(Vaya, la policía coincide conmigo en que, además de mi crimen, pudo haber algo más).

—¿Extraño?

(No doy crédito: coge su ropa interior y es... un puto tanga. No me imaginaba que Hugo, con la pinta de hetero que tiene, pudiera llevar tanga).

—Es que nada tiene mucho sentido. ¿Qué hacía una chica de quince años cruzando por allí, en un lugar donde no hay absolutamente nada y un lunes a las once de la noche?

(Se olvida de un detalle).

—Y lloviendo.

(Hugo me mira raro. Como si el que llevara el tanga fuera yo...).

—Sí, esa noche llovía a cántaros. ¿Cómo es que te acuerdas?

(Sal del paso, joder. Inventa rápido).

—Porque es uno de los datos que repiten cada vez que hablan de la noticia. Ya sabes cómo les gusta la carnaza a ciertos programas...

(De nuevo, parece que mi giro verbal ha funcionado: Leo, no te equivoques más).

—Vaya que si lo sé... No te imaginas el dinero que les han ofrecido a sus padres por ir a hablar a un matinal de esos. Y si se llevan a la hermana pequeña, todavía más. Pura carroña, macho.

(Ya tengo lo que quiero. Al menos, de momento. Lo mejor será despedirse y dejar que Hugo y sus colegas musculados se vistan de una vez, si es que no tienen pensado salir a la calle en tanga y marcando bíceps, que ya empiezo a dudarlo).

—A ver si tenéis suerte.

(Sonríe. Le ha sonado muy ingenuo).

—Eso espero. Con tener más suerte que el cabrón que la atropelló, me conformo. Pero en fin, no es mi único caso... Ojalá pudiera centrarme solo en un asunto.

(Despídete. Lárgate. Y cuanto antes).

—Pues nada, Hugo. Nos vemos por aquí. Me marcho, que me esperan en casa.

(Sonríe de nuevo. Ahora le ha sonado convencional).

—Recuerdos a Gaby.

(Por supuesto, no pienso dárselos).

—Nos vemos, Hugo.

(Al fin encontró su camiseta. Sin mangas, claro).
—Hasta otra, Leo.

31

Alejo insiste en que no debería darle demasiada importancia. Sin embargo, los anónimos llegan a mi correo con demasiada frecuencia. No ocurre todos los días, pero esa misma irregularidad los hace, si cabe, aún más crueles. Si al menos los recibiera de forma cotidiana, hasta podría integrarlos como una suerte de *spam* que se cuela en mi buzón y que, en el fondo, no es más que un surtido de amenazas más molestas que peligrosas. Sin embargo, el hecho de que haya una separación, creo que calculada, entre unos y otros, que el ritmo de su envío y recepción sea maquiavélicamente perfecto, sí me hace pensar que hay un interés real por desestabilizarme.

Y pienso en Lara, claro. Pienso en nuestra última conversación y creo que es ella a quien debería denunciar a la policía para que investiguen si, como supongo, se ha obsesionado de este modo conmigo. Alejo me pide discreción —a fin de cuentas, ha sido una estrella de nuestro sello— y yo se la concedo porque, afortunadamente, tengo un contacto del que puedo tirar sin armar mucho ruido. Solo necesito, eso sí, el permiso de otro alguien.

De: gabylledo@discosdelaluna.com
Para: jorgearaiza@yahoo.es
Asunto: Puedo?

No sé si te va a gustar lo que te voy a pedir, pero admito que estoy demasiado asustada como para seguir actuan–

do como si no hubiera ocurrido nada. No te lo he contado antes porque creía que, en cierto modo, si no lo mencionaba, no existiría. Por eso solo se lo dije a Leo, quien, por cierto, tampoco pareció darle demasiada importancia.

El caso es que, desde hace ya unos días, no dejo de recibir e-mails con insultos y amenazas. El departamento de informática de mi trabajo los ha rastreado y cada uno de ellos responde a una ubicación diferente. Se trata de alguien que me odia tanto como para dedicar parte de su tiempo solo a asustarme y, bueno, quizá no sea más que eso, pero no estoy tranquila.

Sospecho de alguien, claro, pero es una persona a quien conozco y con quien sería muy delicado comenzar una investigación sin más. Por eso he pensado que, si tú no tienes nada en contra, querría escribirle sobre este tema a Hugo. Si no recuerdo mal, estuvo unos años trabajando en asuntos de seguridad en la red y quizá pueda decirme algo que, por lo menos, me tranquilice.

Ya sé que las cosas entre vosotros no andan muy allá, pero es la única persona de mi entorno a la que puedo recurrir. Nuestro mundillo de artistas y faranduleros puede ser muy divertido para salir de copas, pero muy poco eficaz para estas cuestiones tan prosaicas.

¿Tengo tu visto bueno?

Besos,

G.

—¿Un café?

—Justo a tiempo, Helena.

—No tienes buena cara, Gaby. ¿Una noche difícil?

—Algo así.

—¿Es por lo de los anónimos?

Debería mantenerme distante, como de costumbre. Y no es que Helena me caiga mal, al contrario, es que me da miedo compartir ciertas intimidades en el trabajo. Hacernos vulnerables siempre acaba teniendo consecuencias, así que suelo evitar los cafés y las pausas en los que se habla de algo que sea realmente personal. Aunque hoy, precisamente hoy, estoy tan desbordada que no logro ceñirme a mi autocontrol habitual.

—Un poco todo, supongo.

—Si es Lara, se aburrirá enseguida.

—¿Y si no es ella?

—Nadie tiene motivos para hacerte algo así, Gaby.

Pero lo están haciendo. Y no es momento de contarle que quizá sea alguno de los hombres a los que (casi) he conocido estas semanas por internet. No es el lugar ni el día para compartir con Helena, de quien apenas conozco datos íntimos, mis aventuras cibernáuticas, las mismas que hace nada eran fascinantes y que ahora me empiezan a provocar una paranoia moralista que me recuerda a esas películas ochenteras donde el infiel acaba pagándolo muy caro. Si soy racional, sé que es mentira. Pero cuando alguien te intenta destruir la confianza —y qué débil resulta ser a veces esa seguridad en una misma— lo racional se convierte en algo invisible. Y utópico.

—No sé, Helena, no estoy en un gran momento. La empresa tampoco es que vaya mejor que nunca.

—Ya nos han dicho que habrá cambios en breve.

—¿Ah, sí?

—En la última reunión. Pero supongo que iba solo por los de abajo. A ti no te afecta.

—Tú y yo estamos muy cerca.

—Cerca, sí. Pero no niveladas. Yo no subí tanto.

—Cuestión de suerte.

—No, qué va. Yo no tengo tu falta de escrúpulos para según qué cosas. Por eso no podía ascender más.

Curioso halago. Por eso no suelo sincerarme. Nunca estoy segura de si lo que recibo a cambio es una caricia o, como parece en este caso, un arañazo. Ellos son brutos. Pero nosotras somos inteligentes. Y lo segundo es mucho más peligroso que lo primero. Por eso, en días como hoy, un café compartido —esta te la guardaré con mucho cariño, Helena— puede ser tan explosivo.

—¿Volvemos?

—Qué remedio, Gaby... Pero para cualquier cosa, ya sabes dónde estoy.

En el infierno. Ahí mismo. Esperando a que yo caiga para subir tú a mi lugar. Lo has dejado bien claro. Tiene gracia... Y yo que pensaba que intentarías consolarme. Que era un ejemplo de solidaridad femenina. Yo que he estado a punto de confesarte que lo de los anónimos solo es un problema más. Que a eso se suma que no acabo de entender qué le pasa estos días a mi marido —cada vez más ausente, más lejos de mí, de su hijo, de todos—, que empiezo a obsesionarme con sus nuevas rarezas —¿qué pinta Leo en un gimnasio?— y hasta con la anécdota de su coche. Sí, a todo eso se suma que una mentira, estúpida y tontorrona, ha puesto en jaque, de repente, toda mi confianza. Pero no te lo he dicho, Helena, menos mal que no he abordado ni ese tema, ni el de Hila, ni el de todo lo que se me pasa por la cabeza en estos días, el montón de engaños y de verdades a medias en el que estoy instalada y que me hace que me cueste tanto encontrarme a mí como creer a los que me rodean. ¿Y si lo del coche es una mentira más importante de lo que parece? A fin de cuentas, no tiene sentido ocultar una nimiedad. Y Leo no solo me la ha escondido a mí, sino que también ha tergiversado los hechos, sean los que fueren, ante su hermano. Paranoica, lo sé, me estoy volviendo completamente paranoica. Pero comprobar lo fácil que me está resultando mentirle a él me hace dudar de si no le será a él igual de sencillo mentirme a mí.

De: jorgearaiza@yahoo.es
Para: gabylledo@discosdelaluna.com
Asunto: RE: Puedes

Vía libre, Gaby. Eso sí, llámale directamente o mándale un sms. Su e-mail personal no lo mira demasiado. Es un tipo mucho más 1.0 que nosotros.

Besos.

No sé si es buena idea ahondar más en este asunto de los anónimos. Tal vez si lo dejo estar, acabe muriendo por sí solo. Quizá lo que me hace falta es dejar de obsesionarme con tanta estupidez y darle a cada cosa la verdadera dimensión que debería tener. O puede que lo único que deba hacer es pedirle a Hila que nos veamos de nuevo para ver si consigo, en otro par de horas —no necesito más—, olvidarme de todo con la misma rotundidad que la última vez.

Así que, justo cuando estoy a punto de conectarme para hacerle un par de proposiciones tórridas a mi joven amante (¿amante/*affaire*/ligue/chico?, todavía no sé cómo llamarlo), llega un nuevo e-mail a mi correo. Antes de abrirlo ya sé su contenido y leo, sin sorpresa, pero con inquietud, la nueva lista de amenazas que contiene.

—¿Hugo? Sí, ya sé que no esperabas que te llamara, pero... Verás, tengo que hablar contigo. Sí, es un asunto urgente. Y muy delicado. ¿Nos vemos mañana?

32

He vuelto al hospital. En principio, no parecía la mejor de las opciones, pero tenía que elegir entre investigar por mi cuenta o volver a interrogar a Hugo en el vestuario del gimnasio y, la verdad, me parece casi más arriesgado lo segundo. Incluso un policía, y no es que tenga demasiada fe en el gremio, podría sospechar ante mi insistente curiosidad.

Así que regreso al Clínico a visitar a mi amigo/amiga (¿qué coño era?, mierda, tenía que haber apuntado su sexo y, ya de paso, haberle puesto un nombre para hacerlo creíble) y dispuesto a cazar cuanta información pueda obtener sobre la familia de Alba. A fin de cuentas, no deja de ser extraño lo que sucedió y quizá la culpa no resida tanto en el atropello, que no es más que el último y trágico eslabón de la cadena, sino en cómo llegó la chica hasta allí. Qué la hizo atravesar corriendo aquella curva...

Me asomo al pasillo en el que recuerdo que se encontraba, pero esta vez no veo al padre ni a la hermana pequeña. Solo están su madre y otra mujer que, por edad y semejanza física, quizá sea su tía.

—Yo es que no me lo explico, Judith. De verdad que no... Es tan absurdo...

—Venga, cálmate un poco, anda. ¿Estás tomando algo?

—¿Cómo?

—Esther, necesitas dormir.

—Voy ciega de Lexatin, pero da igual. La ansiedad no se pasa.

—Es lógico.

Diría que son gemelas. Sus rostros son casi idénticos, aunque el tiempo haya intentado diferenciar sus cuerpos. Si tuviera que quedarme con una, creo que preferiría a la madre. De carnes más prietas, con un buen culo —o eso parece que se adivina bajo los vaqueros— y con una melena cortísima que le da un toque bastante morboso. Su hermana, sin embargo, tiene más pinta de matrona romana y se ve que se ha descuidado: pechos caídos, cintura poco o apenas dibujada y aspecto, digamos, algo ajado.

Lo de llamarlas a las dos con nombres bíblicos supongo que fue una de esas gracias que se nos ocurren a veces a los padres y que nos resultan, solo a nosotros, claro, de lo más ingeniosas. De la Biblia no ando precisamente yo muy puesto, así que no tengo muy claro qué tipo de marca dejarán esos nombres. Lo de que los nombres marcan, sí que me parece muy evidente. Yo, por ejemplo, no creo que fuera igual si en vez de Leo me hubiese llamado de otra forma. Llamarse Leo ya impone una actitud, sobre todo cuando decides que Leonardo te parece cateto y antiguo, y que Leo suena agresivo y triunfador. Quizá habría hecho lo mismo con otro nombre. No sé.

—Además, no te imaginas cómo fue, Judith. No te imaginas lo que fue recibir esa llamada...

—Venga, intenta serenarte. No puedes romperte cada vez que...

—¿Mi hija está entre la vida y la muerte y yo no me puedo romper? ¿Pero qué estás diciendo?

—Esther, necesitas ser fuerte.

—Lo he sido. Vaya si lo he sido... Pero no puedo más. No puedo fingir que todo va a ir bien. Nunca ha ido bien...

—Alba es muy fuerte. Lo sabes bien.

—Ese día ni siquiera la vi, Judith... Ni un segundo... Mireia estaba sola cuando llegué del trabajo. Pablo había bajado a comprar algo al chino. No recuerdo ni el qué... Y yo, sin más, empecé con la cena. Empecé con la cena, Judith, y luego...

—Lo van a encontrar.

—Luego ese hijo de puta...

—La policía está en ello.

—¿Y eso va a hacer que mi hija salga del coma? ¿Eso me va a devolver a Alba?

—Se hará justicia, Esther.

—Yo no quiero justicia. Yo quiero a mi hija... A mi Alba...

Las dos hermanas están tan enzarzadas en su conversación que no se dan cuenta de hasta qué punto han subido el tono de sus voces. Resulta sencillo espiarlas y puedo mantenerme a cierta distancia sin perderme ni una sola de sus palabras. Los sollozos de Esther entorpecen su discurso (¿qué significa eso de que nunca fue bien?, ¿a qué se refería?), pero a pesar de lo molestas que resultan sus lágrimas he conseguido enterarme de algún dato que, quizá, sí pueda emplear más adelante.

¿El padre no estaba allí? No sería nada del otro mundo si no me pareciera algo extraño que una cría como Mireia se quedara sola en casa a las diez y media de la noche. Adrián es dos años mayor y aún nos aseguramos de que le echa un vistazo alguien. O Paloma, la cuidadora que está con él hasta que Gaby o yo volvemos del trabajo. O, si el día se nos da mal a Gaby y a mí, su abuela Inés, que siempre está dispuesta a echarle un cable a su yerno favorito. Lo de favorito tampoco tiene mucho mérito ante la falta de competencia —ser el único en algo hace la vida muchísimo más fácil—, pero me gusta igual.

No, no acabo de entender que su padre no estuviera en casa esa noche. Quizá la coincidencia entre su ausencia y la carrera de Alba sí signifique algo. A lo mejor la chica aprovechó el momento en que su padre bajó a ese chino a comprar lo que fuera —cualquier encargo tonto de su mujer: seguro— y se escabulló para hacer algo que sus padres no le permitían. O ver a un chico. O comprar algo (¿drogas?). O cualquier cosa que la obligase a ir y volver corriendo a casa (por eso pasó por esa curva de ese modo, por eso no miró).

Lo que no acabo de explicarme es hacia dónde iba, porque en esa zona —y eso sí que lo comprobé a conciencia el otro día— no hay nada más que unas escasas tiendas. Un supermercado de barrio minúsculo, un par de chinos y una papelería-quiosco, poco más. Claro que si Alba estaba buscando algo ilegal, quizá sí tuviera que internarse en un lugar prohibido. No sé, a lo mejor Adrián puede ayudarme aquí. ¿Qué saben de todo esto los chicos de su edad? Total, tampoco

pierdo nada sacando el tema con alguna excusa mínimamente creíble. Y la excusa la tengo: una charla padre-hijo de
prevención sobre el tema de las drogas. No es que sea un pla-
nazo, es más, puede que Adrián me odie por ello durante un
par de días, pero creo que le ha tocado el sermón a cambio de
que yo pueda averiguar alguna cosa más.

—¿Qué tal sigue su amigo?

Demasiado lento. Tenía que haberme ido antes, podía
haber seguido planeando mi siguiente paso en el coche en
vez de quedarme parado como un imbécil en medio del
pasillo, arriesgándome a que pasara precisamente esto.

—Mal.

—¿Ninguna mejoría?

—Un poco solo.

—¿Pero qué tiene?

—No lo saben aún.

—Vaya.

—¿Y su hija?

—Igual.

—¿Y del tipo que lo hizo se sabe...?

—Nada.

—Lo cogerán.

—Eso espero.

Desde que sé que Pablo se llama Pablo, me impone mucho más. Antes solo era el padre, brusco y cuadrado, de la
adolescente que yo había atropellado. Pero ahora es un
tipo, igual de brusco y puede que hasta más cuadrado
—¿estará matando la ansiedad con las pesas mientras su
mujer prueba con el Lexatin?—, que tiene nombre propio.
Un tipo que se llama Pablo, que está casado con Esther,
que tiene dos hijas, Alba y Mireia, y al que un conductor
anónimo le ha roto, en una décima de segundo, toda su
vida. Quizá si consigo culpar a esa adolescente temeraria
por haberse fugado de casa sin el permiso de sus padres
—¿qué ha sido de los sabios consejos paternos: no hables

con extraños, no cojas caramelos, no te fíes de nadie?—, quizá si logro demostrar que toda la responsabilidad recae en esa huida consiga sentirme algo mejor de lo que me empiezo a sentir ahora mismo.

33

—¿Y tiene que ser ahora?

—Joder, mamá.

—Adrián...

—Vale: jo, mamá, es que es para nota.

—Está bien. A ver qué tenemos por aquí...

No falla: cuanta más prisa tengo, más tonterías escolares necesita mi hijo. A veces me pregunto si a sus profesores les dan un cursillo sobre cómo pedir estupideces imposibles de conseguir en tiempo récord. El récord, por supuesto, lo tienen los de Plástica —como si Adrián tuviera algún tipo de talento para el arte: en eso ha salido a su padre, me temo—, aunque a veces los de Literatura tampoco se quedan cortos con sus ideas creativas.

A ver, un trabajo sobre novela negra. ¿Se estudia la novela negra en cuarto de la ESO? Ni idea. Pero yo juraría que no. Será una técnica motivadora, una de esas que me cuenta la tutora cada vez que voy a verla y me pone la cabeza como un bombo sobre lo poco motivado que está mi hijo a pesar de tanta, y tan sesuda, motivación. Tengo dos opciones: llegar tarde a mi cita con Hugo —y, peor aún, a mi cita con Hila— o negarme a ayudar a Adrián y exponerme a recibir una bonita epístola en su agenda mañana mismo. Su tutora, para el tema de la correspondencia, es de una rapidez exquisita. Lógicamente, la mejor opción es la primera, así que confío en que mis dos haches serán pacientes —les aviso con sendos sms— y trato de solucionar este asunto en el que su padre se niega a colaborar.

—Yo ayudo en las de ciencias.

—Menuda excusa, Leo.

—Cada uno su parte. División de tareas, cariño.

—Ya, claro. Pero es que tengo prisa...

—¿Y eso?

—Voy a ver a Hugo.

—¿A Hugo?

Si le hubiera dicho a Leo que, después de verme con Hugo, voy a tirarme a Hila, no creo que hubiera reaccionado peor. No acabo de entenderlo. El otro día no dejaba de preguntarme por él y ahora, de repente, le molesta que hayamos quedado. No sé qué le pasa últimamente a mi marido, en serio.

—Sí, ¿por?

—No creo que a Jorge le guste la idea.

—Le he pedido permiso.

—¿Y te lo ha dado?

—Claro.

—Mamá, que tengo que hacerlo para mañana...

—¿Y te lo han dicho hoy? Adrián, no me creo que te lo hayan dicho hoy.

—Es que es para nota. Luego decís que no saco buenas notas.

—Yo no digo eso. Yo digo que...

—¿Pero estás segura de que a Jorge no le molestará?

—¿Y ahora por qué te preocupa tanto Jorge?

—Porque es un hombre muy sensible.

—¿No te parecía un cursi?

—Claro. Y por eso es sensible. Es lo que tiene.

—Me vas a volver loca, Leo.

—Mamá, ¿vienes o no?

—Que sí, hijo, que sí voy. ¿No lo puedes copiar de la Wikipedia?

—Es que tenemos que llevar un fragmento de una novela y explicarlo en clase.

—¿Y por qué, Gaby?

—Porque se lo ha pedido su profesor, qué quieres que te diga, Leo.

—No me refería a eso.

—¿Y a qué entonces?

—¿Que por qué habéis quedado?

—Por lo de los e-mails.

—¿Qué e-mails?

—¡Pero si ya te lo he contado, Leo!

—Claro, sí, sí, perdona.

—Estás muy raro. Desde aquello del coche...

—Lo del coche fue una estupidez.

—Pues tu hermano no pensaba lo mismo.

—Mi hermano es gilipollas.

—Por favor, que Adrián te está oyendo.

—Pues que me oiga, yo no tengo la culpa de que su tío sea un envidioso y un gilipollas.

—¡Mamá!

A veces me planteo si debería recuperar mi nombre original. Gabriela. No es que me guste mucho, pero entre lo gastado que se me ha quedado el Gaby —por exceso de uso doméstico— y lo estresante que se me hace ese «mamá» de mi hijo —que me emocionaría si no viniese acompañado siempre de una petición, súplica o exigencia inmediata—, preferiría reinventarme y cambiar, por lo menos, de nombre. Al menos está Hila. Me hace sentir bien cuando, sin que yo se lo haya pedido, me llama Gabriela. Porque Gaby no me gusta —ni el nombre ni la persona— demasiado.

—Leo, ¿tú has cogido *Asesinos sin rostro*?

—¿Cómo?

—¿Que si has cogido de aquí una novela de Mankell? Falta justo esa... Y es la única de la que medio me acuerdo bien para hacerle un resumen a tu hijo.

—No, yo no. ¿Para qué iba a cogerla yo?

—¿Para leerla?

—Pues no.

—¿Y entonces? Es que además la tengo dedicada. Me la regaló Sandra...

—¿Dedicada?

—Sí. Sandra es muy detallista, ya la conoces.

—Bueno, tampoco mucho. Me aburre bastante.

—Qué positivo eres, de verdad.

—A lo mejor la ha cogido Paloma. La pobre se tiene que aburrir bastante cuidando de tu hijo.

—¿Paloma? Lo dudo... Es una chica muy educada, lo habría pedido antes.

—No se daría cuenta. Total, es solo un libro... Mañana se lo preguntamos, ¿vale?

—Pues nada, voy a probar con otro. A ver si me acuerdo del argumento... Como si tuviera yo la cabeza para esto.

Adrián copia lo que le dicto con desgana. Mira el libro con desinterés. Y me pide que vaya más despacio, porque no pretende apuntar las ideas esenciales para luego desarrollarlas —en eso consiste mi supuesto método didáctico—, no, él lo que quiere es que yo le diga, palabra por palabra, lo que debe poner. Resulta extraño saber que, a mi edad, mañana me van a examinar de novela negra en cuarto de Secundaria. Quizá eso hace que ciertos suspensos de mi hijo me resulten tan indignantes, porque no puedo dejar de ver como una humillación que alguien pretenda suspenderme a mí a estas alturas.

—Por cierto, Leo. Han traído un paquete para ti. Lo he dejado en el despacho.

—Gracias.

Acabado el dictado, consigo, al final, salir de casa. Digo que no volveré muy tarde y Leo llama a Adrián porque, palabras textuales, «tienen que hablar de algo». Me temo lo peor —charla sobre seguridad sexual, o sobre drogas, o sobre alcohol, o sobre cualquiera de esos temas que de vez en cuando saca Leo cuando le da la vena de padre responsable— y compadezco a mi hijo por tener que aguantar semejante campaña de prevención en los próximos minutos... Aunque, bien mirado, es un justo castigo por haberme examinado también a mí. Y sin previo aviso.

A su manera, el azar siempre acaba impartiendo justicia.

34

Tiene que ser David. Conoce mi dirección y la del banco, y seguramente todavía se cree con suficientes motivos para seguir odiándome. El segundo cuaderno, de nuevo camuflado en un paquete absurdo, de nuevo con una frase estúpida en su primera página y de nuevo enviado desde fuera de Madrid: en esta ocasión, Roma.

«Todo saldrá a la luz».

No se puede decir que el autor se esmere mucho en el estilo, pero hay que admitir que el contenido resulta de lo más contundente. Lo único que no consigo encajar es qué pinta David en medio de todo esto: ¿cómo ha podido saber lo que pasó aquella noche? Solo si me ha estado siguiendo desde el día de su despido, paranoia más que improbable, podría haber averiguado qué ocurrió en esa curva y cuál fue mi papel en los hechos. Pero si, como quiero pensar, no se ha convertido en un psicópata que me persigue a todas partes, no hay forma alguna de que tenga conocimiento de lo sucedido. Así que, ¿a qué se refiere ese «todo»? ¿Qué es lo que va a salir a la luz?

Tampoco puede hablar de su despido, ni de las técnicas que yo empleé para motivar a mi jefe para que tomara la decisión correcta —porque, y eso me temo que no era discutible, mis méritos superaban con mucho a los de mi amigo—, ni puede aludir a algo que ya intentó sacar a la luz en su momento. Y, por supuesto, no funcionó. Intentó ponerme en evidencia ante mis compañeros, ante mi jefe, ante todo el personal del banco. Afortunadamente, nadie le creyó. Fue vencido por mi fama de hombre cordial, educado, escasamente problemático y, sobre todo, alejado de todo tipo y suerte de rumores y maledicencias. Resultaba increíble que yo fuera ese personaje maquiavélico que describía David y él, lógicamente, tuvo que asumir que su supuesta verdad —¿realmente lo era?— no gozaba de la más mínima credibilidad.

Claro que también puede que el autor de estos anónimos no sea él —¿entonces quién?— y que haya alguien más enterado de todo lo que me ha sucedido en las últimas semanas. Puede que esté jugando a ciegas, sin tener en cuenta que no soy el único que tiene cartas en esta partida. ¿Quién más pudo verme? ¿Y cómo? Por otro lado, los matasellos de ambos envíos no dejan de aumentar aún más mis interrogantes: Londres, Roma... ¿Tantas molestias para que no descubra la identidad del remitente? Parece poco probable que David, por mucho que me odie, haya decidido pulirse su indemnización viajando por Europa por el simple placer de empapelarme con anónimos.

Sea quien fuere —y sea lo que fuere—, la situación no es nada tranquilizadora, así que tendré que acelerar mis pesquisas —¿qué pasó esa noche por la cabeza de Alba?— para conseguir la única exculpación irrefutable: en cuanto la víctima deje de serlo y se convierta en única y absoluta culpable de su propia suerte no habrá anónimo que pueda asustarme. Ni conciencia que pueda dejarme sin sueño una maldita noche más.

—Todos lo saben, papá.

—¿Tú también?

—Claro.

—¿Así de fácil?

—Es que eso se sabe. Se les ve.

—¿Y los profes no...?

—Los profes no se enteran mucho. Vamos, no todos.

—¿Pero tú...?

—No, yo no he comprado nunca.

—¿Y has fumado?

—Venga ya, papá...

—¿Te has fumado algún porro o no, Adrián?

—Pues alguno sí, claro.

—¿Claro?

—¡Que tengo quince años!

Hay que admitir que el silogismo tiene su gracia: tengo quince años, así que fumo porros. Dicho con semejante seguridad, da no sé qué oponerse. Cómo voy yo a censurar lo que, según mi hijo, es toda una condición de la adolescencia. En el fondo, ahora mismo tampoco es eso lo que me preocupa, sino averiguar si Alba pudo salir esa noche buscando algo de droga. No sé, alguna sustancia que esté de moda entre los jóvenes y que, aprovechando que su padre había salido, ella decidiese ir a buscar. Es una teoría un poco ridícula, me consta, pero ahora mismo estoy tan bloqueado que no se me ocurre otra.

—¿Así que la compran en el instituto?

—La mayoría, sí. O justo a la salida.

—Muy tranquilizador... Pero tú no.

—No, papá, yo no.

—Vale.

—¿Me puedo ir ya a mi cuarto?

—Sí, claro.

Si es tan fácil conseguir esa droga en el instituto de mi hijo, imagino que Alba también podría haberlo hecho en el suyo. No, no creo que Alba saliera de casa buscando algo así. Y lo peor es que dudo que llegue a averiguar qué la llevó

hasta esa curva si no me acerco un poco más a su familia...
Pero cuanto más me aproximo a ellos, más vulnerable me
hago. Y más me expongo. Especialmente ahora, cuando sé
que hay alguien —¿David?, ¿pero cómo demonios va a ser
David?— que comparte, o al menos, eso parece, mi terrible
secreto.

35

—Estás impresionante.
   —No hace falta que mientas.
   —No miento nunca, Gabriela.
   —¿Nunca?
   —Bueno, solo lo necesario.
   —¿Y eso cuánto es?
   —Tanto como requiera la situación.
   —¿Y esta sí lo requiere, Hila?
   —No. De momento, no.
   No sé si dice la verdad o no, pero el caso es que me resulta muy convincente. Sobre todo porque acompaña
cada nuevo halago con un hábil movimiento de sus manos sobre mi piel. Sus caricias alternan suavidad y energía, jugando a desconcertarme y logrando que no sepa si
he de esperar ternura o voracidad en su siguiente movimiento. Esta es la tercera vez que quedamos, así que nuestros ritmos empiezan a coincidir y las posibilidades de
éxito —más allá del morbo de la novedad— también au-
mentan considerablemente. Sabe adaptarse a mí y, sin demasiadas pistas, interpretar lo que necesito que me haga.
Aprende rápido a colocar su boca, sus brazos y sus manos
en el lugar preciso y consigue justo lo que necesito de él:

que me convierta en su ansiado objeto de deseo, que me haga creer que lo soy, que me idolatre —física, intelectual, emocionalmente— durante los minutos que haya de durar este momento.

—¿Habrá cuarta?

—¿Tenemos que discutirlo ahora, Hila?

—Me gustaría saber que sí la habrá. Tengo mucho que explorar todavía.

—¿Por ejemplo?

—Aún no he memorizado bien tu cuerpo.

—¿Y para eso necesitas que volvamos a vernos?

—Soy un estudiante muy aplicado.

—No sé si yo quiero el rol de profesora.

—No hace falta: soy autodidacta.

Y justo cuando sentía que el fantasma de la maldita edad amenazaba con hacerse real, él calla mi posible réplica con un movimiento brusco y eficaz. Me agarra con fuerza y comienza a bajar su cabeza por mi cuerpo, besando cada uno de los lugares que, tras acariciar con su lengua, menciona y me describe. Y yo, que no soy capaz de oponerme a este viaje idolátrico, disfruto oyéndole hablar de mis pechos, de mi cintura, de mis piernas, de mi sexo. Dejo que sea su lengua la que se exprese por los dos, la que me haga olvidarme de la edad, y de mi vida fuera, y de quienes esperan al otro lado de esta habitación. Hila sigue enumerando lugares, y agarrando mis brazos para que no pueda reaccionar más que dejándome hacer por él y yo, que estoy harta de ser siempre la que lleva la iniciativa —en el trabajo, en la cama, en la vida doméstica—, tengo la tentación de querer forcejear un poco, justo hasta que me doy cuenta de que es mucho más dulce rendirse, sentirse poseer por alguien que solo pretende venerarme, alguien lo bastante cegado por algún tipo de oscuro deseo como para nombrar cada parte de mi cuerpo justo antes de mordisquear su contorno con una mezcla de ternura y malicia que consigue, poco a poco, volverme irracional y salvaje. Vulnerable y desnuda. Así me siento.

Desnuda porque cuando me convierto en la mujer que él inventa, y que idealiza, tengo la sensación de que no me queda ni un solo escudo con el que protegerme, ni una sola mentira que decir. Y no la hay porque, de repente, todo es, en sí, mentira. Todo espejismo. Todo utopía. No existimos ni él ni yo, ni siquiera la habitación en la que nos encontramos. Solo existe el sexo, la humedad, el orgasmo, los gemidos de un placer que proviene de una situación que no está siendo real. Ni él puede desearme tanto como cree ni yo soy la musa que Hila venera, en el fondo no somos más que los personajes que nos inventamos para que estos encuentros hagan que merezca la pena verse. Y sobre todo, para que luego, una vez que nos despidamos, sintamos que gracias a los minutos anteriores tiene algo más de sentido la vida de después. La vida que está esperándome en casa con la convicción de que ahora mismo estoy en otro sitio y con otra persona.

Justo cuando el miedo —surgido, cómo no, de la vida real— amenaza con poner en peligro mi placer, reacciono con energía y libero, al fin, uno de mis brazos. Él sigue detenido entre mis piernas y yo, que tengo ganas de intervenir de modo más activo, acaricio su cabello y subo, lentamente, su cabeza hasta mis pechos. Libero ahora mi otro brazo y lo deslizo cuerpo abajo hasta su sexo. Me excita sentirlo tan duro en mis manos y lo acaricio con la soberbia de quien se sabe poseedora de la excitación ajena. La vanidad me provoca un placer casi insoportable, así que no tardo en invitarle —con un leve movimiento de piernas basta para que entienda el siguiente paso de la coreografía— a colocarse justo debajo de mí, para poder mirarlo, disfrutarlo, contemplar los años que nos separan y sentir aún más ganas de que me haga el amor por el simple placer que me provoca su juventud. Y mientras me penetra, mientras caigo una primera vez —luego vendrá una segunda, y una tercera, y un intento de cuarta que quizá el tiempo (debo volver, debo volver a casa, Hila) nos obligue a interrumpir—, mientras me corro una y otra vez en un orgasmo que más que múltiple me parece infinito, no puedo dejar de ver sus veintisiete, no puedo dejar de sentirme algo más poderosa, algo más excepcional, cuando noto cómo me mira. Y cómo se desboca.

—¿Podrás la semana que viene?

—No sé, Hila. Quizás.

—¿Me lo vas a poner siempre igual de difícil?

—¿Siempre hasta cuándo es?

—Yo no me hago ese tipo de preguntas.

—Pues deberías.

—¿Tú crees?

—Era solo un consejo.

—Has dicho que no querías ser mi profesora.

—Tienes razón.

Y de repente, mientras me estoy vistiendo, vuelvo a olvidarme de la certeza inmediatamente anterior y regreso a mis dudas. A la inseguridad. Quizá porque hay que subir la intensidad de la luz para que pueda encontrar la ropa que hemos desperdigado cuando nos desnudábamos apresuradamente unos minutos antes. Quizá porque él sigue desnudo, obscenamente joven, encima de la cama, luciendo un cuerpo fuerte, de musculatura elegante y sin subrayados innecesarios, un cuerpo de un tío de veintitantos que se acaba de acostar con una mujer de casi cincuenta que está segura de que, con una luz tan intensa y observada desde la cama donde la mira él, tiene un cuerpo que no puede soportar una vigilancia como la que él le otorga.

Y entonces, justo entonces, las dudas se hacen aún más fuertes, más atronadoras, qué hago aquí, por qué me estoy empeñando en vivir una historia que me hará daño. No seré solo yo quien se rompa cuando Hila se dé cuenta de que está engañándose a sí mismo. No, será también Leo —y hasta Adrián— quien pague luego por esta aventura que, estoy segura, acabará estallando. A mí no se me da bien ocultar nada. En casa no estamos acostumbrados a mentirnos. Al menos, no lo estábamos... Ahora ya no lo sé. No tras haber hablado con Hugo. No tras saber que coincide con mi marido en el gimnasio, uno de los escasos lugares donde no habría imaginado jamás a Leo... Y me entero de eso —de otro engaño sin importancia más: su golpe con el coche, su reciente ataque de vigorexia...— justo antes de encontrarme con alguien sobre cuya identidad también le miento a él. Y lo peor es que toca inventar —en tiempo récord, claro— otra excusa para que no se descubra mi coartada en caso de que Leo vuelva a encontrarse con Hugo en ese gimnasio donde no sabía que coincidieran... Otra excusa para justificar por qué mi conversación con Hugo —de apenas veinte minutos— ha durado casi tres horas. Seguramente recurriré a Jorge, claro, le diré que me he pasado a verlo para contárselo y, de paso, animarlo un poco. Mierda, se hace extraño ver que, en solo unas semanas (¿nunca lo hicimos antes?, ¿seguro?), estamos olvidando que la honestidad había sido siempre la base más sólida de nuestra relación.

Por eso, cuando Hila me pregunta si nos veremos otra vez, nunca digo que sí. No porque quiera hacerme la difícil, sino porque tan pronto como enciende la luz vuelvo a ver la realidad, y la irrealidad, con tanta nitidez que me resulta difícil aceptar su vehemente invitación al autoengaño.

—Te escribo mañana.

—Me tendrás impaciente... Me gustan tus e-mails.

—Tengo que irme ya.

—¿Pasa algo?

—¿Por?

—Te noto un poco distante... ¿He dicho algo inconve-niente?

—No, Hila, es solo que...

—¿Sí?

—Déjalo. Mejor te escribo.

—Ahora sí que voy a estar impaciente.

—Gracias por esta noche.

—No me ofendas.

—¿Que no te ofenda?

—No se dan las gracias por algo así, Gabriela. No soy un puto al que le tengas que agradecer nada. Hasta donde yo sé, lo hemos pasado muy bien los dos.

—Me voy ya. Mañana te mando ese e-mail.

—Deja que te acompañe.

—No es necesario.

—Quiero hacerlo.

Se viste rápido mientras me pregunto por qué se ha molestado. Quizá es que yo me he encargado de enrarecer tanto el ambiente que cualquier frase, por estúpida que sea, puede malinterpretarse. O quizá es que él, al ver que no le daba con facilidad el sí que me exigía, se ha sentido herido en su orgullo. Sea lo que fuere, la despedida es algo amarga y, por un segundo, parece que puede hacer peda-zos el recuerdo de la noche. Me da un abrazo justo antes de que me suba al taxi y provoca un beso que yo interrumpo abruptamente. No quiero esto. No sé lo que es. Pero no es lo que quiero. En el trayecto, se alternan en mí los instan-tes dulces, la mayoría, con el sabor agrio del «mañana te escribo» y no acabo de saber con cuál de ellos quedarme. Me da miedo elegir la dulzura porque quizá esté mintién-dome a mí misma y creyéndome una historia que, por mu-cho que yo me empeñe, no puede ser. Y me da también miedo elegir la amargura porque puede que con eso solo esté intentando sabotearme obedeciendo a mi maldita in-seguridad.

El miedo, de momento, me paraliza en ambas direcciones. Ya veremos cuál de los dos caminos elijo tomar.

36

Gonzalo me mira de un modo un poco extraño. Hasta en su manera de saludarme me ha parecido captar, aunque sea sutil, una doble intención. No sé bien qué tiene en la cabeza, pero si no me lo aclara él por propia iniciativa, estoy seguro de que seré yo quien se lo pregunte.

El trabajo, afortunadamente, no es demasiado estresante hoy, así que entre futuros desahucios y denegaciones de préstamos —hay que admitir que mi rutina cada día es menos positiva—, me dedico a rastrear a la familia de Alba por internet. En estos tiempos 2.0 no debería ser demasiado difícil conseguir algún dato que me ilumine un poco más sobre quiénes, y cómo, son. Tras comprobar que sus padres han creado sendos perfiles de Facebook que apenas actualizan, mi esperanza reside ahora en que sus dos hijas sean tan adictas al Tuenti como lo es Adrián.

Lo más inmediato, lo admito, sería curiosear en el perfil, si es que lo tiene, de Alba, pero también hay en ello un punto macabro que no me siento capaz de cruzar. Y no es que no tenga motivos para hacerlo, pero prefiero probar suerte con Mireia, con la esperanza de que en su página haya bastante información como para no tener que convertirme, además, en *voyeur* de la misma persona de la que fui víctima (o, según las leyes, verdugo).

El Tuenti de Mireia es un galimatías y salgo de allí tan desubicado como cuando reviso, por consejo de sus tutores y profesores, el historial de internet de mi hijo. No sé si se meterán o no en líos cibernéticos, porque soy incapaz de interpretar la mitad de las páginas y de entender su utilidad o funcionalidad. Por lo demás, el perfil de la adolescente está atestado de fotos medio borrosas colgadas con el móvil y de mensajes escritos en una lengua que, en cierto modo, podría parecer español, aunque resulta difícilmente reconocible, la verdad.

Decepcionado, me atrevo con el de su hermana, pero el de Alba tampoco me aporta nada nuevo. En las fotos que cuelga en su muro no hay nada destacable. Viajes familiares. Cosas del colegio. Ratos en el parque con las amigas. Una vida completamente normal que no arroja ni una sola luz sobre el porqué de esa salida intempestiva. Ante la ausencia de datos, y para dejar claro que, ante todo, soy un hombre de grandes recursos, tomo dos decisiones. La primera será coger fuerzas y volver al hospital. La segunda, hacerme otra vez el encontradizo con la familia. Quizá pueda aprovechar que vivo cerca del Clínico para encontrarme, casualmente, con Mireia —sería estupendo poder abordarla a solas cuando vaya a visitar a su hermana— y preguntarle, siempre casualmente, qué hacía su hermana —esa que me quiere arruinar la vida— aquella noche.

—Muy buena la novela.

—¿Ya la has terminado?

—Se lee muy rápido...

—¿Te pasa algo, Gonzalo?

—¿A mí? ¿Por qué lo dices?

—Porque me miras de una forma muy rara... Y lo dices todo con un tono que...

—¿Con qué tono ?

—De cachondeo, Gonzalo.

—No sé... A lo mejor es que estoy esperando a que me cuentes algo.

—¿Yo?

—¿Seguro que no me quieres contar nada, Leo?

Estoy a punto de guardar la novela en mi maletín cuando, por fin, caigo en la cuenta de lo que le pasa. Mierda. Otra confusión más... Y todo por no haberme asegurado antes de que...

—Venga, que hay confianza.

—A ver, Gonzalo...

—Tranquilo, que yo soy una tumba.

—¿Desde cuándo?

—Desde siempre, joder. Tomamos unas cañas a la salida y me lo cuentas, ¿hace?

—Invitas tú.

—Trato hecho.

No es difícil imaginar lo que ha supuesto Gonzalo. Me envían un paquete misterioso y anónimo desde Londres. El paquete, le digo, contiene un libro. Me lo pide prestado y yo me muestro reticente a dejárselo. Y cuando se lo dejo, descubre que tiene una cariñosa dedicatoria, sin fecha y con letra primorosa, que dice: «Por todos los momentos vividos... Y por los que nos quedan por vivir. Sandra». Gracias a mi despiste —¿cómo cojones iba a saber yo que ese libro estaba dedicado?— ahora tengo que seguirle el juego a Gonzalo y darle la razón en la historia extramatrimonial en la que, estoy seguro, me ha enredado. Una tal Sandra, que viaja a Londres y que me regala libros de Mankell entre polvo y polvo. También podría sacarle de su error, decirle que es amiga de Gaby, que el libro en realidad es suyo y que todo se debió a que me confundí de volumen y le llevé precisamente el que no era. Por supuesto, esta segunda opción, que es la pura verdad, resulta, con mucho, la más inverosímil de las dos, así que, si no quiero que Gonzalo me tome por un estafador, tendré que darle la razón en su teoría. Tiene gracia que la mentira resulte, tan a menudo, mucho más creíble que la verdad.

—Está claro que tienes mucho que contarme...

—¿Y esto?

—Acaba de llegar. Y es también para ti. Desde Berlín, esta vez.

—Luego lo abro.

—Sí que os gusta leer a los dos, ¿no?

—Algo así.

—Ya me lo explicas en las cañas.

—Sí, claro, Gonzalo. Ahora estoy muy liado.

Al menos, la historia de mi amante —que, para colmo, ha recaído en la amiga más mojigata y coñazo de mi mujer— me servirá para desviar la atención de Gonzalo sobre los indiscretos envíos anónimos de mi chantajista. Sería difícil justificar tanto paquete consecutivo si no tuviera un porqué que les diese sentido. En el fondo, no me viene nada mal que piense —él y cuantos compañeros se enteren de la historia tan pronto como Gonzalo la convierta en rumor— que son regalos que, por pura discreción, no pueden ser enviados a mi domicilio particular. Así, de momento, nadie pensará que estoy siendo perseguido por algún psicópata rencoroso que quiere hacerme sentir contra las cuerdas.

«Mentir tiene un precio».

Vaya, parece que esta vez nos acercamos al objetivo real de mi chantajista. Hasta ahora se ha conformado con recordarme que sabe todo lo que ocurrió (¿cómo puede saberlo?, no es posible, joder), pero en su último cuaderno-amenaza (curioso híbrido) comienza a dejar claro que no persigue metas éticas ni moralistas, que su fin no es actuar como la conciencia que, según él, me falta, sino invitarme a saldar deudas a punta de talonario. Comprar su silencio y, de paso, asegurarme que mis remordimientos sean lo suficientemente inocuos como para no arruinar la tranquilidad de mi vida futura.

37

De: discretoindiscreto@hotmail.com
Para: ilsamad@hotmail.com
Asunto: Impaciencia

No me has escrito.

Y no es que te esté reprochando que no lo hagas, pero admito que me siento un poco perdido con tu actitud.

Te fuiste muy callada de mi casa y has seguido callada desde entonces. Tengo la sensación de que ocurrió algo que tú, de momento, no has querido contarme.

Yo sigo esperando ese e-mail que me prometiste, porque supongo que quiero seguir viéndote. O que, por lo menos, me conformo con una noche más.

Sé que, según las normas de la seducción, no debería escribir este correo. Es un error mostrar debilidad y no digamos ya arrastrarse ante la persona que deseamos. Pero a mí ese protocolo siempre me ha parecido una estupidez. No soy tan orgulloso. Ni tan paciente.

Yo, cuando de verdad quiero disfrutar de algo, nunca he sabido esperar.

Y ahora tampoco.

Así que, Gabriela, escribe cuanto antes.

Por favor.

H.

—¿Y por qué no lo haces?

—¿Ya lo has leído?

—Hija, es un correo. No una novela de Proust.

—Apenas lo has mirado.

—Leo deprisa.

—¿Y qué opinas?

—Que el muchacho es un poco cursi, pero tiene buen fondo.

—Me estoy equivocando, Jorge.

—Sí, claro. ¿Y qué más da? No es el amor de tu vida. Es solo una historia que te gusta, Gaby. Prioriza, por favor.

—Priorizo, sí. Y por eso decido pasar página. Cuanto más avanzo en esto, más lejos me siento de todo lo demás.

—¿Leo?

—¿Sabes que se ve con Hugo en el gimnasio?

—¿Estás de coña?

He estado a punto de preguntárselo varias veces, pero nunca encuentro el momento adecuado para hacerlo. En cierto modo, es como si tuviera un arma arrojadiza en mi poder, una bomba dialéctica que prefiero reservar para soltarla en el momento justo. Sé que me está mintiendo, que está ocultándome algo que, por otro lado, no deja de ser una trivialidad, y por eso mismo no necesito hacerle ver que ya lo sé. Prefiero esperar. Dejar que este dato repose el tiempo que haga falta para que, si alguna vez lo requiero, me siga siendo útil.

Lo que me preocupa es que tanta mentira insignificante sea el resultado de intentar encubrir una mucho mayor. No hay motivos para que no me cuente lo de su encuentro con Hugo o lo que quiera que le pasara con el coche. Ninguno de los dos hechos, de manera aislada, tiene importancia. Pero ¿y si ambos responden a algo mucho más serio? Entonces sí que se justificaría que no quisiera contármelo, porque puede que esté intentando proteger algo más, algo que teme que salga a la luz si yo sigo indagando. Algo que, por supuesto, empiezo a ver cada vez con mayor claridad.

—Tiene una amante.

—¿Leo?

—Sí, está con alguien más. Lo noto.

—¿Tú estás segura?

—Llega a casa a deshoras. Falta al trabajo con frecuencia. Se apunta a un gimnasio... ¡Leo en un gimnasio! Y se da un golpe con el coche y no me lo cuenta...

—¿Y eso prueba algo?

—Eso prueba que está disperso y pensando en alguien, por eso falta tanto en el banco y por eso hasta se olvida de avisarme cuando va a llegar tarde a casa. Prueba que su ego y su narcisismo están a flor de piel, y por eso se ha apuntado a hacer pesas. Y prueba que si no me dijo lo del coche es porque iba o venía de algún sitio del que no quería hablarme. Es más, lo mismo hasta iba con ella de copiloto. También podría ser, ¿no?

—Creo que estás proyectando en él lo que haces tú, Gaby. Y no sé si eso es justo. O sensato.

—¿Pero tú no se supone que debes apoyarme?

—Y ya lo hago. Evitándote las paranoias, guapa.

—¿Te importa?

—¿El qué?

—Dejar el móvil aunque solo sean cinco minutos, Jorge. Llevas chateando desde que he llegado...

—Perdona, era...

—César, ¿no?

—Sí, César.

—¿Ya te ha convencido de que le hagas estrella?

—De momento le he conseguido un cásting.

—Te está usando.

—Es muy bueno en la cama.

—Es un niñato.

—El tuyo solo le saca cinco años.

—Vaya, vienes con el aguijón muy afilado, ¿no?

—Vengo sincero, Gaby. Nuestra amistad es lo único en mi vida que no admite mentiras. Ni diplomacias ridículas.

—Brindemos por ello.

—Claro que sí.

Jorge me da un beso que sabe un poco a champán y un mucho a reconciliación. En el fondo, lo que ha dicho es cierto, ninguno de los dos hemos sido capaces de mentirnos nunca y, hasta en los peores momentos, hemos apostado por decirnos la verdad. Ahora, cuando todo lo que nos rodea, con contadas y casi inexistentes excepciones, parece ser de cartón piedra, se agradece este reducto de honestidad. Y no puedo pretender que él se limite a darme la razón en mi locura, ni en mis dudas, ni en mi necesidad de culpar a Leo de lo que yo hago. Eso, supongo, sería jodidamente liberador. Sería perfecto. Convencerme de que ambos estamos buscando oxígeno fuera de casa, tratando de salvar el matrimonio mediante la aportación, desinteresada y oculta, de gente que nos calma la ansiedad cuando nos acostamos con ellos, pero que no ponen en tela de juicio ni la solidez ni la complicidad ni el respeto de un matrimonio que ha sobrevivido, casi feliz, durante tantos años.

—¿Te vienes este jueves?

—Lo dudo.

—Anda, que va a ser divertido.

—¿Una cena con Sandra la estrecha, Inma la trepa y Lorena la salida? Sí, sí, divertidísimo.

—A ellas les caes genial.

—Lástima que eso no sea recíproco.

—Tú te lo pierdes...

—¿Te importa si le llamo?

—¿A César?

—Será solo un minuto.

—No, venga. Llámale...

Me pregunto si, cuando estoy con Hila, se me ilumina tanto la mirada como a Jorge cuando habla con César. Me preocupa que ambos estemos a punto de hacernos un daño que pueda resultar irreparable y, sobre todo, que solo yo sea consciente de ese riesgo. En Jorge, pese a toda la sensatez que he encontrado siempre en él, ahora solo veo a un cincuentón —pobre, me mataría si me oyera hablar así— inconsciente, desprotegido y vulnerable, alguien que no sabe qué hacer con la soledad que lo asfixia y que ha preferido acoger a todo un potencial escorpión entre sus sábanas. Me preocupa, y no sé cómo hacerle entender cuánto, que el veneno que le está inyectando César le provoque un mono insoportable cuando el niñato ese se aburra, cuando lo deje tirado y tan solo como antes, cuando haya conseguido justo lo que buscaba de él. Cuando, como hará Hila, volvamos a ser los que ya somos, los de la edad que somos, por mucho que la fantasía de lo que creemos que estamos siendo lo disimule.

Quizá por eso, porque me asusta cuánto le brillan los ojos a Jorge, porque me aterra la candidez de su sonrisa, porque me inquieta ver cómo pasea, nervioso como un crío, teléfono en mano, decido escribirle un correo algo seco a Hila. Para ganar tiempo y poner, ahora que aún puedo hacerlo, algo de necesaria distancia. Si no lo hago, corro el riesgo de que ese mismo brillo, esa misma candidez y esos mismos nervios me acaben destrozando a mí también.

38

Esta semana he cambiado el gimnasio por los bares y, por supuesto, el cambio me ha parecido cojonudo. Cambiar el banco de abdominales —por mucho que nos mientan, cada vez tengo más claro que todos los tíos no tenemos de eso— por la barra de un bar que está justo enfrente del Clínico no ha resultado solo muy estratégico, sino también profundamente reparador.

He intentado no ir cada día, porque tampoco creo que me compense seguir dejando testigos indirectos por ahí.

Bastante me preocupa mi conversación con el vecino de la urbanización de la familia de Alba —entre otros deslices— como para ser ahora un habitual del bar más cercano al hospital en que sigue internada.

Por suerte, tampoco ha hecho falta una constancia extrema, porque tras apenas tres días de vigilancia acabo de descubrir a Mireia viniendo, con toda seguridad, directamente del instituto para ver a su hermana. La trae alguien en coche —quizá un matrimonio amigo de sus padres: no sé, solo puedo intuir a un hombre y a una mujer de mi edad, más o menos, en los asientos delanteros— y la dejan justo a la puerta del hospital. Salgo corriendo, literal y torpemente, desde el bar hasta allí para poder interceptarla antes de que llegue a la planta donde la esperarán sus padres. Supongo que si me hubiera tomado más en serio lo del gimnasio no habría llegado tan ahogado a esa conversación que solo puede parecerle casual a esta pobre cría. Son las desventajas de tener trece años, claro, que no acaban de estar preparadas para hacer frente a cuanto lobo feroz se puedan encontrar en el camino.

—¿Te acuerdas de mí?

Ella asiente en silencio y se muestra cohibida. Tendré que esforzarme para que no se escabulla antes de decirme algo que me pueda ayudar.

—Te llamabas Mireia, ¿verdad?

Vuelve a asentir. Pero no abre la boca. Al menos, me he ahorrado un «y tú cómo te llamas» que preferiría no tener que responder.

—¿Y tu hermana, Mireia? ¿Cómo está?

Se le nublan los ojos de lágrimas. Mierda. Lo que no necesito es que llore. Una niña llorando en la entrada de un hospital acompañada por un adulto que, desde fuera, puede parecer un familiar, pero que si alguien pregunta no es más que un sospechoso acosador de una cría inocente. No llores, anda. Por favor, no me hagas esto, no.

—¿Quieres algo de la máquina de refrescos antes de subir? Yo vengo a visitar a una amiga y voy a cogerme algo.

—Vale.

Es la primera palabra que pronuncia y noto que mi oferta sí le parece interesante. No tanto por sacar algo de esa máquina, sino, sobre todo, por postergar la subida al pasillo donde sabe perfectamente lo que la espera: una o dos horas haciendo los deberes en un banco junto a sus padres mientras ellos se quejan, se desazonan y se desesperan al ver que su presencia tampoco consigue hacer que la situación de Alba mejore. Por eso Mireia se viene conmigo —no es más que un pequeño desvío, debe de pensar— y yo vuelvo a creer que los Grimm sí que tenían razón cuando pintaron a aquella niña tan inocente, porque a fin de cuentas lo que hizo el lobo fue muy parecido a lo que hoy hago yo, salvo que su fin era el canibalismo y el mío, la supervivencia.

—¿No está mejor?

Niega rápido con la cabeza y luego señala tímidamente la fila de las chocolatinas.

—¿Puedo?

—Claro. ¿Cuántas quieres?

Duda un instante.

—Dos.

No sería una adolescente de verdad si pidiera menos. Es más, su contención me hace pensar que es una niña muy bien educada (¿anoto eso también en los datos que he venido a averiguar?).

—¿Tú estabas con ella esa noche?

—No. Yo estaba en casa.

—¿Es que era muy tarde?

Vuelve a asentir y a suprimir la voz por el lenguaje no verbal. Cada vez que eso ocurre temo que se cierre del todo y que no haya ningún mensaje más. O que se ahogue y rompa a llorar por segunda vez, delatando, sin darse cuenta, mi presencia aquí. Espero a que abra una de las chocolatinas y, sin dejar de mirar a todas partes —¿y si han avisado los del coche a su padre con un sms: «la niña ya está dentro»?— prosigo con mi interrogatorio.

—¿Cómo de tarde?

—Las once o así.

—Vaya... ¿Y cómo es que Alba no estaba contigo?

Se alza de hombros y se vuelve a callar. Da la sensación de ahogarse un poco, como si le costara hablar más de lo que pasó antes del accidente que del accidente en sí. No sé de qué se trata, pero cada vez tengo más claro que hay algo extraño, quizás incluso oscuro, detrás de todo esto.

—¿Estaban vuestros padres?

—Mi madre no.

—¿Y tu padre?

Sigue sin levantar la mirada y comienza a dar ligeras patadas contra el suelo. Noto que se empieza a poner nerviosa y me da miedo que su reacción sea aún más violenta que el llanto de hace solo unos minutos.

—¿Quieres algo más? ¿Seguro que no?

Mueve obstinada la cabeza y se guarda la segunda chocolatina en la mochila, tan atestada de libros y de cuadernos como la de Adrián.

—A mí también me encanta el chocolate, ¿sabes?

—A todo el mundo.

Y sonríe. Al fin consigo que se relaje otra vez. Piso un poco el freno y decido fingir que me intereso por algo que no tenga que ver con la historia de su hermana para poder volver después al tema que realmente me preocupa.

—A todo el mundo, sí. Lo que no nos gusta a casi nadie es estudiar, ¿verdad?

—No, claro, eso no.

Y se ríe. Ahora sí que se ríe. Tiene esa risa brillante, estremecedoramente limpia, que solo se tiene a su edad. Una risa que no oculta dobles intenciones, que no encierra ningún otro mensaje que no sea la felicidad esporádica, inmediata, una risa que no se recupera ya nunca más y que, vista desde tan cerca, me hace sentir un miserable por aprovecharme de su ingenuidad para sonsacarla. Me obligo, eso sí, a vencer mis escrúpulos y vuelvo a la carga.

—¿Alba y tú vais al mismo insti?

—Sí.

—La echas mucho de menos, ¿verdad?

Baja la cabeza otra vez y deja claro que su respuesta es un rotundo sí. Está triste, pero algo más serena. Incluso noto que se acerca un poco a mí, como si sintiera que puede contarme algo. Como si encontrara en este adulto tan simpático, en este lobo con piel de cordero, un refugio que, los Grimm sí que sabían de eso, le puede acabar saliendo caro.

—¿Y no sabes por qué se fue esa noche? Seguro que ella te lo contaba todo.

—Dijo que tenía miedo.

—¿Se lo dijo a tu padre también?

Vuelve a callarse. Cada vez que lo menciono a él, Mireia reacciona de un modo extraño, como si le disgustase oír su nombre. Espero unos segundos, pero no me responde.

—¿Y a tu madre?

—No. Solo a mí.

Así que, como tenía miedo, Alba aprovechó un momento de soledad —justo antes de que llegara su madre, mientras su padre hacía no sé qué compra de última hora— para salir corriendo hacia ninguna parte. Una de esas decisiones intempestivas y absurdas de los quinceañeros que nunca sirven para nada y que ellos creen tan útiles. Bueno, y no solo ellos, porque la escapada de hace unas semanas de Gaby —no puedo evitar reírme un poco cada vez que me acuerdo— también tuvo ese mismo punto absurdo, aunque, por suerte, sin desenlace trágico.

—¿Y tú sabes de qué tenía tanto miedo?

Se queda inmóvil. Noto que sabe la respuesta —seguro que es un sí—, pero no hace un solo gesto que me permita averiguarlo.

—¡Mireia!

Una voz femenina la llama desde el otro lado de la sala.

—Es mi tía.

—Claro, ve con ella.

Me hago a un lado y trato de escabullirme aprovechando que acaba de entrar un grupo más o menos numeroso de señores mayores que parecen venir a visitar a alguien. Evito volverme para que no me vean y deduzco que quien la ha llamado es su tía Judith, pero prefiero irme con esa estúpida duda antes que arriesgarme a ser descubierto una vez más.

Regreso caminando a casa —me gustan los inviernos madrileños, no lo puedo evitar— y acabo desviándome y llegando a Rosales. No sé cómo, pero termino sentado cerca del Templo de Debod, a unos metros de un par de parejas empalagosas que se restriegan su amor sin ninguna clase de pudor. Trato de aislarme subiendo al máximo el volumen de mi iPod y me esfuerzo por interpretar las palabras —y los silencios— de Mireia para que acaben significando algo que pueda darme una pista sobre lo que empujó a Alba a arrojarse a las ruedas de mi coche.

Dijo que tenía miedo. Y se lo dijo a ella. Solo a su hermana pequeña, apenas una cría que ninguna protección le podía ofrecer fuera lo que fuera lo que la asustaba. ¿No sería más lógico que hubiese hecho esa confesión a su padre? ¿O a su madre? Es cierto que el diálogo padre-hijo se vuelve algo discontinuo en la adolescencia. Incluso algo tribal. Pero por eso mismo, ante los instintos esenciales —el miedo, la tristeza, incluso la euforia—, la comunicación se restablece. Con Adrián es así. Con Alba sería igual.

Sin embargo, ella solo le confesó su miedo, justo antes de huir, a su hermana menor. Solo a Mireia. Y no se lo dijo a sus padres. No se lo dijo porque...

—¿Tienes papel?

—¿Perdona?

—¿Que si tienes papel?

—No, lo siento.

Una de las parejas empalagosas ha decidido hacerse unos porros para festejar su romance. La otra, a la que apenas puedo ver, sigue enzarzada en su ritual erótico ajena a todo lo demás. Y yo, que no quiero seguir tan cerca de tanta felicidad compartida, me levanto e inicio el regreso a casa. Camino, eso sí, con una extraña sensación que, lenta y paulatinamente, se parece mucho a un sentimiento de excesiva y compleja responsabilidad. Parece obvio que si Alba no le dijo a sus padres que estaba asustada es porque, quizá —y aquí es donde radica esa sensación que ahora mismo me ahoga— eran ellos —¿él, ella, los dos?— quienes la asustaban. Y de ser así, ¿quién me asegura que su hermana pequeña no es víctima ahora de ese mismo miedo, sea cual sea? De repente, tengo la convicción de que puede que no solo sea culpable del destino de Alba, sino que, si no intervengo rápido, quizá me convierta en el responsable del destino de otra víctima más.

Mireia.

39

—No te quita ojo.

—¿Quién?

—El de la mesa del fondo. No me digas que no te has dado cuenta...

—Lorena, no digas tonterías.

—Chicas, ¿tengo razón o no?

—Que sí, Gaby, que no para de mirar...

—A lo mejor te está mirando a ti, Sandra.

—Venga ya, no seas tonta. El tío no está mal.

—Nada del otro mundo.

—Eres una exigente...

—No, Inma, lo que soy es muy realista. Además, a mí, en los bares, hace siglos que no me mira nadie.

—Pues ese sí que lo hace.

—¿Otra ronda?

—Claro. Habrá que ponerte a punto por si se nos acerca el tipo ese...

—Ni se te ocurra decirle algo, Lorena...

—¿No le vamos a invitar ni a una copa? Pobrecito...

—¿Pedimos aquí mismo la primera?

—Claro.

El azar disfruta jugando conmigo. Solo así puedo explicarme que, después de lo que me ha costado contener hoy las ganas de volver a quedar con Hila, haya terminado encontrándome en este bar con el único tío que debe de haberme mirado desde hace, por lo menos, diez años. Bueno, quizá no hayan sido tantos, pero lo cierto es que sí lo parecen...

Y no, no sienta mal comprobar que es cierto que me observa, que las chicas tienen razón cuando dicen que no despega la mirada, y hasta admito que ese desconocido —juraría que alto, de mi edad y con un marcado gusto por la ropa de marca— me da bastante morbo. Puede que no sea el más guapo de su grupo de amigos, pero sí tiene un punto de imperfección que me gusta y, en su gesto, en vez de la ingenuidad de Hila, encuentro la expresión de quien, como yo, ya viene de vuelta de casi todo. De alguien que, en realidad, no puede hacer gran cosa que no haya hecho ya y por eso, como me ocurre a mí, solo aspira a que lo que haga se haga bien, pues el placer no puede residir ya en la novedad, sino en el método.

Me gusta que me observe con espíritu casi científico, como si estuviera analizándome. O investigándome. Podría deshacerme de mis amigas y acercarme a su mesa. Podría recurrir a lo de siempre —hace tanto que no me entreno en estas lides que solo se me ocurre volver a tácticas prehistóricas— y pedirle un cigarro. Si hay suerte y es fumador, le invitaría a salir conmigo a la puerta del local y, si además de atractivo, resulta que es inteligente —muy pocos soportan esa criba—, podría pedirle que me llevara a algún lugar para ver si nuestro método nos da tanto placer como ambos merecemos.

Pero lanzarme con este hombre que ni siquiera se molesta en fingir que escucha a los amigos que lo acompañan —lleva casi una hora centrado exclusivamente en mis piernas— supondría dar explicaciones a mis amigas. Y no me apetece ni sentirme juzgada por Sandra —que tiene, no sé por qué, idealizado a mi marido—, ni compartir los detalles morbosos con Lorena —que no se conformará con menos de un relato exhaustivo de los hechos—, ni albergar la duda de si la envidia que corroe desde hace años a Inma —obsesionada con emularme en lo profesional— podrían llevarla a hacer una idiotez y acabar contándoselo todo a Leo. Demasiados cabos sueltos como para apartarme de la barra y acercarme a pedirle un cigarrillo. No sé lo que haré si es él quien se aproxima, pero eso, de momento, tampoco tengo por qué decidirlo de inmediato. ¿O sí?

—¿Y no se sabe nada más?

—Nada, Inma.

—Pues yo, en tu lugar, estaría acojonada.

—No seas exagerada.

—No exagero nada, Sandra. ¿Tú has oído bien lo que nos ha contado? La están amenazando.

—Bueno, solo me envían e-mails. No ha pasado de ahí.

—¿Y te parece poco?

—Inma, por favor, así no la ayudamos.

—Quitándole importancia tampoco. Lorena, ¿tú qué opinas?

—Que si la policía dice que no hay motivo para preocuparse, pues no hay motivo para preocuparse.

—Eso me dijo Hugo, el ex de Jorge. ¿Os acordáis de Hugo?

—Claro, yo nunca olvido a un armario como ese...

—Ya, Lorena, recuerdo cómo intentaste *convertirlo* en una fiesta hace un par de años... Quería que me tragara la tierra.

—¿Tú nunca pierdes los papeles, Gaby?

—Más de lo que crees.

—Eso me tranquiliza... Por cierto, tu admirador está pagando su cuenta.

—Pues eso solo puede significar dos cosas...

—¿El qué, Inma?

—Que se ha cansado de esperar y se va a casa... O que se ha cansado de esperar y viene a atacar directamente.

Ante esa segunda posibilidad, decido que lo mejor es ir al baño y encerrarme allí durante unos minutos. Esperar a que se vaya. Hacer tiempo —el justo y necesario— hasta que se aleje el peligro. No quiero enredarme con nadie más. No estoy segura de tener ganas de seguir mintiendo en casa y, sobre todo, empiezo a estar cansada de mentirme a mí misma. De esperar que todo se arregle después de un polvo. De arriesgarme a que ni siquiera ese polvo salga bien... No sé si mi autoestima, después de lo de Hila, soportaría otro golpe absurdo más.

—Hila no tiene la culpa.

—¿No la tiene, Jorge?

—Eres tú quien le ha dicho que no.

—Porque es ridículo.

—¿Que lo estéis pasando bien es ridículo?

—Que me enganche de un crío de veintitantos es ridículo.

—Entonces lo mío con César te debe parecer igual de absurdo.

—Me parece peligroso, Jorge. Ya te lo he dicho.

—La vida es peligrosa, Gaby. Por definición. Y quedarse paralizada por el miedo no es la mejor opción.

—No es miedo. Es sensatez.

—Lo has dejado con un chico para evitar que te deje él a ti. Eso es miedo. Es orgullo. Y es estupidez.

—Estupidez es permitir que te use alguien que solo se mete en tu cama por interés.

—Me da igual por qué se meten en la cama conmigo. Lo que quiero es tener a alguien ahí cuando apago la luz.

—Yo ya lo tengo. Me casé con él hace veinte años.

La llamada de Jorge de esta tarde no ha sido demasiado cordial. Ninguno de los dos queremos escuchar la opinión del otro sobre nuestras últimas decisiones y a ambos nos cuesta admitir que quizá —y solo quizá— no estamos avanzando en la dirección más adecuada. Jorge insiste en que no dejo de mentirme a mí misma y yo, como única réplica, me limito a repetirle que él está haciendo justamente eso mismo. Luego, cada vez que termino de hablar con él, me quedo hecha un mar de dudas —¿no se supone que hablar con Jorge me ayuda a ordenar mis ideas?— y cada nuevo correo de Hila —que sigue escribiendo, obstinado— me desubica aún más.

Un par de minutos. Solo eso. Después podré salir de nuevo, pedir otra copa y continuar la noche con mis amigas sin sobresaltos inesperados. El plan, aunque sencillo, debería ser eficaz. Y lo sería si mi inesperado seductor no fuera mucho menos tímido de lo que a mí me habría gustado y no estuviese esperándome a la salida del baño. Al verlo, paso pronto del sobresalto a la curiosidad y él, que se ve diestro en este tipo de situaciones, me invita, con firmeza, a acercarme. Niego con la cabeza a la vez que me contradigo con mis pasos —uno, dos, pequeños pero decididos y ambos en su dirección—, paradoja que él aprovecha para extender su brazo y rozarme la cintura, con una extraña mezcla de certeza y de levedad. Sigo inmersa en mi propia antítesis y con un brazo hago ademán de querer abrir la puerta mientras paso el otro por encima de su hombro y la apoyo contra la pared, en ángulo recto con su cuerpo.

—¿Todo bien?

Su voz es aún más eficaz que su mirada. Pienso en qué responder, pero él es más rápido que yo y aprovecha bien la décima de segundo en la que me pregunto qué respuesta ingeniosa darle. Antes de que esa contestación venga a mis labios ya tengo los suyos en los míos. Y mi brazo soltando la puerta y enredándose en su cintura. Y sus manos en mis caderas, en mi culo, en mis pechos. Sus manos abriendo la blusa, y su pierna derecha golpeando, empujando con fuerza la puerta para que nadie entre, y su pierna izquierda levemente inclinada contra las mías, moviéndose para que sienta —sobre mi vientre, contra mi sexo— la dureza de su polla completamente erecta.

Me dejo llevar por la situación —sin nombres, sin palabras, sin nada más que un desconocido de voz penetrante y movimientos hábiles— y bajo mi mano derecha hasta su pantalón. Lo abro, disfruto del tacto de su sexo y fantaseo con el poder de ser yo quien, ahora mismo, le posee a él. Su lengua recorre ahora mis pezones y sus manos aprietan mi culo con fuerza. Tantea con habilidad mis pantalones y consigue bajármelos sin que yo tenga que intervenir, permitiéndome seguir abriéndole la camisa y masturbándole muy suavemente, lo justo para que le cueste retenerse y tenga unas ganas inmensas de hacérmelo aquí mismo.

Escuchamos a alguien acercarse y vuelve a empujar con fuerza la puerta, bloqueándola. La musculatura de sus piernas se contrae y la recorro con una caricia que acaba, de

215

nuevo, en esa polla que, ahora mismo, estoy deseando sentir dentro de mí. No debe de ser la primera vez que hace algo así, porque consigue minimizar el tiempo que necesita para ponerse el condón sin que la excitación ni las caricias pierdan ni un ápice de su intensidad. Me apoya contra la puerta —ahora sí que nadie puede entrar— y me folla con toda la crudeza de la verticalidad, sin adornos y sin poesía, sin ningún lirismo que no sea el de un placer inmenso y egoísta, un placer donde los besos se convierten en mordiscos y las caricias, en arañazos. Rompo uno de los botones de su camisa y contengo las ganas de gritar para que, al menos, no nos echen por escándalo público. Gimo en silencio y noto cómo espera a que yo esté lista para acabar él también. Escucha mi ritmo sin necesidad de palabras, sin las pistas que sí precisa Hila, sin pedir permiso. Ventajas de la edad, supongo. Y nos corremos a la vez. Intensamente. Verticalmente. Y clandestinamente.

—Todo bien, sí. Todo muy bien.

Sonríe ante mi respuesta, con unos cuantos minutos de retraso, y desliza en el elástico de mis bragas una tarjeta que, supongo, tendrá su nombre y su teléfono. Se recompone en apenas un minuto y sale del baño mientras yo intento creerme que esto ha ocurrido de verdad y repaso peinado y maquillaje antes de volver a la mesa donde me esperan mis amigas.

—Bueno, ¿qué? ¿Nos vamos a otro sitio?

40

Llevarme al banco la bolsa del gimnasio ha sido una idea estúpida.

Sí, tenía que haberme olvidado de tanta bravuconada medio infantil y haber dejado la bolsa en el coche en vez de haber entrado con ella en la oficina. No sé muy bien qué me ha dado, pero de repente me apetecía exhibir un poco de testosterona, sobre todo ahora que me he convertido en algo así como el ídolo de Gonzalo gracias a una aventura inexistente. Hacía tiempo que no recordaba lo bien que sentaban ese tipo de pequeñas mentiras —lo cómoda que resulta la máscara de ser quien los demás esperan que seamos— y, en este momento de mi vida, en el que todo parece que se tambalea, no viene nada mal una dosis así de autoconfianza.

Por eso, confieso, he entrado con la maldita bolsa, para que Gonzalo vea que estoy en una fase de absoluta virilidad y que combino el culto al cuerpo con el disfrute de ese cuerpo en brazos de otras mujeres que no son mi esposa. Gonzalo, que es un simple, cae fácilmente y me pide detalles sobre Sandra prometiéndome una discreción que, por supuesto, no será necesaria. Mira la bolsa del gimnasio con cierta admiración y hasta creo que se propone emularme. A su modo, acabo de convertir a un igual en mi subordinado y eso, para qué negarlo, me gusta mucho. Sobre todo porque llevo años compitiendo con todo el mundo, dentro y fuera de casa, años sin sentirme nunca en el lugar más alto, porque mis compañeros ascendían o encontraban trabajos mejores que el mío, porque en casa practicábamos eso del reparto de tareas, porque Gaby es capaz de castrarte sin darse cuenta de que lo está haciendo y porque durante mucho tiempo su sueldo fue la hostia comparado con el mío. Pero ahora, gracias a mi ascenso y a la crisis de su sector, hemos llegado a igualar nuestras nóminas y, sobre todo, a desnivelar los grados de satisfacción laboral, algo que en su caso ha supuesto una considerable bajada de autoestima y de motivación y en el mío, todo lo contrario. Sumar a esa mejora la reciente admiración de Gonzalo —que acaba de ocupar la vacante de escudero fiel que dejó David— me devuelve la imagen del tío que realmente siento que debo ser y me da fuerzas para afrontar esa *otra* situación con la mayor entereza posible. Porque ni *eso* —no, ni siquiera *eso*— puede acabar mal para un tío como yo. Un hombre como yo.

—¿Vas a verla hoy, cabrón?

—No lo sé. No quiero que se malacostumbre.

—Menudo castigador estás hecho...

—Hay que darles lo suyo, Gonzalo, ya sabes.

—¿Comemos y me cuentas?

—Por mí, vale. Pero me iré pronto. Los jueves siempre entreno un par de horas.

Me cuesta no reírme cuando los demás me creen como lo hace Gonzalo. Había olvidado —Alba tiene la culpa— lo bien que se me da convencer a los demás de que soy otra persona distinta a la que tienen delante. Si eso ha funcionado con mis padres durante años, ¿por qué tenía que fallarme ese talento precisamente ahora? Quizá si no estuviera tan obsesionado con lo que puede pasarme si doy un paso en falso en la historia del accidente, mis acciones serían mucho más firmes y hace tiempo que ya habría alejado de mí cualquier posible sospecha de la familia o de la policía. ¿Tan difícil es aplicar esta misma técnica a Pablo y a Esther? Si hasta podría jurar que Mireia ya ha empezado a creerse —en solo un par de encuentros— al hombre sensible y preocupado que se le acerca para ver cómo sigue su hermana mayor... Ni siquiera Hugo debería ser un problema real. Nadie, tampoco Gaby. Todo es culpa del miedo. De este maldito miedo que me impide pensar con claridad.

—Vas a tener que verla hoy...

—¿Y eso?

—Porque acaba de mandarte otro regalito...

—Trae.

Le quito el paquete de las manos y espero a que se aleje para leer lo que, seguramente, tiene que ser un nuevo anónimo. Según el matasellos, viene desde Madrid, así que doy por hecho que, tal y como se anticipaba en el último mensaje, quien quiera que esté detrás de esto desea ponerle fin de una vez por todas.

«Lunes por la noche. 00:30. Templo de Debod».

El chantajista no ha tenido en cuenta los problemas de agenda que entraña la vida familiar. O quizá sí que los ha tenido y, por eso mismo, me ha dado esa hora imposible para un lunes. Tendré que inventarme una cena, o unas cañas con los amigos, o cualquier historia que Gaby se pueda creer y que, espero, cubriré con ese talento mío para las máscaras que hace tan solo unos segundos parecía darme tanta seguridad.

Pero cada vez que se hace patente la posibilidad de que todo se vaya a la mierda, esa certeza se rompe. Se hace pedazos... Y sea quien sea el que me convoca (¿eres tú, David?), tiene que estar realmente seguro de que puede cazarme si es capaz de fijar fecha y lugar para un encuentro que yo desearía que no se produjera. Además, su táctica de dejar todo un fin de semana de espera entre este anónimo y el día del encuentro es una forma cojonuda de agravar mis dudas... Solo me extraña que, ya que ese cabrón se ha lanzado a darse a conocer (¿o será algo peor lo que me espera allí?), no haya puesto una cantidad concreta de euros en su mensaje. ¿Qué se supone que vamos a hacer? ¿Saludarnos, charlar del tiempo y conocernos un poco antes de pasar al siguiente paso? Pues nada, señor chantajista, encantado de verle. Sí, fue una putada, ya ve, una adolescente que sale corriendo en medio de una curva, pero bueno, qué le vamos a hacer. Cuando quiera le hago su ingreso y listo. ¿En efectivo o prefiere una transferencia a un número de cuenta?

Tampoco me hace mucha gracia que el lugar de la cita esté, relativamente, cerca de mi casa. Caminando son apenas unos quince minutos. Tal vez veinte. No sé. Además, qué puta casualidad. Hace solo unos días también estuve allí. ¿Qué pasa? ¿Que me ha estado siguiendo? Joder, esto me da muy mala espina. Y, para colmo, dudo que haya nadie por allí a esas horas. A lo mejor están las mismas parejas empalagosas. O a lo mejor ni eso. ¿No podría haberme citado en algún lugar donde sí haya testigos? En algún sitio donde si suena un disparo alguien reaccione. Donde no me puedan dar un navajazo y salir corriendo con total impunidad. Si es David quien está detrás de todo esto, no descartaría algún episodio de violencia, tal y como ya pasó cuando le despidieron. Y en la propia oficina. Si eso nos llega a ocurrir a solas en el Templo de Debod, me habría pateado hasta matarme. O casi. Y no es que yo no los tenga bien puestos, que los tengo, pero la violencia nunca ha sido lo mío. Ni reflejos, ni velocidad, ni capacidad. Una pena de púgil, me temo.

Puedo negarme a ir. O puedo enseñarle el papel a Hugo (¿y con qué excusa?, ¿qué me invento ahora?). O puedo llevar una navaja en el bolsillo por si la necesito. Claro que si la necesito, sé que no voy a saber ni usarla. O que me dará tal miedo sacarla que me quedaré paralizado y a merced de lo que quiera mi atacante. Si es David, el atacante en cuestión me saca casi una cabeza —qué alto ha sido siempre el cabrón—; si es otro tipo, puede que haya menos diferencia física. En el fondo, hasta tiene su gracia. Es como la versión homicida de una cita a ciegas. Solo que allí te preocupa si te gustará la tía con la que te encuentres y aquí lo que me preocupa es si podré ganarle al tío que se me ponga delante.

—¿Qué? ¿Otra novela?

—No.

—¿Y entonces qué es?

—Un ensayo sobre arte.

—¿Arte?

—Sí, sobre arte egipcio.

—Coño, no sabía que te gustaba también el arte egipcio, Leo.

—Es que soy un hombre muy completo. ¿Cómo te crees que se liga uno a tantas tías si no es así?

—Ahí tienes razón.

—Pues claro que la tengo, Gonzalo. Siempre la tengo.

41

—¿Tan urgente es?

—Mucho.

—Tú misma... Pero esta tarde te quiero aquí, Gaby. Andamos fatal.

Alejo, que está demasiado envenenado por las cifras y las ventas y las cuotas y toda esa mierda como para desarrollar algún tipo de sentimiento empático hacia los demás, no ha entendido que yo lo haya dejado todo nada más recibir la llamada de Jorge. No he necesitado ni un segundo para pensármelo: su voz al otro lado del teléfono no resultaba nada tranquilizadora y, lamentablemente, lo que me he encontrado al llegar ha sido mucho peor de lo que imaginaba. De camino a la comisaría, me he mordido la lengua para evitar el ya te lo dije. Odio restregar a los amigos que veo venir sus errores, sobre todo cuando intuyo que yo podría cometer esos mismos fallos o compartir esa misma ceguera.

Mientras esperamos a que nos tomen declaración, me limito a cogerle la mano y a compartir con Jorge un silencio que solo rompe ante algunas preguntas de Hugo. Aunque él no quería llamarle, le mandé un sms en cuanto me enteré de lo que había pasado. Estaba tan segura de que podía contrariarle como de que agradecería mucho su presencia allí. Y no me he equivocado.

No suelta mi mano mientras reposa la cabeza en el hombro de Hugo, que hoy transmite una cierta culpabilidad que no creo, en absoluto, merecida. No es culpable por haber dejado de querer a su pareja. Ni por estar intentando rehacer su vida. Hugo no es culpable de que su ex haya tomado una decisión equivocada. De que se haya arriesgado con alguien que —te lo advertí, me muerdo la lengua una y otra vez para no decir algo tan obvio como eso— solo quería aprovecharse de él. No, Hugo no tiene la culpa de que estemos aquí, a punto de denunciar a César, pero él siente que sí, y por eso, de vez en cuando, abraza a Jorge con una ternura triste.

—Será muy rápido. Te lo prometo.

Jorge ni siquiera responde. Sigue con la cabeza sobre su hombro, medio ladeada, como si quisiera que nadie viese su ojo magullado. Ni sus moratones. Al menos, lo del brazo no tiene demasiada importancia, bastará con que lo lleve vendado y en cabestrillo durante una semana. Eso nos han dicho en urgencias.

De momento, tampoco nos ha explicado gran cosa. Yo he acudido a su llamada de socorro tras oírle llorar al otro lado del teléfono. Lo he encontrado en el suelo, sangrando y rabiando de dolor. He fingido que la escena no me impactaba tanto como lo ha hecho —qué cruda es la violencia fuera de una pantalla— y me he alegrado de haber avisado desde el coche a Hugo. Luego, en urgencias, solo hemos conseguido que nos diga que pasó algo con César, pero no qué. Ni cómo. Confío en que en su declaración policial sea mucho más explícito. Y espero, joder cómo lo espero, que a ese hijo de puta de César le den una buena lección por lo que ha hecho.

«Quiero hablar contigo... Me lo debes. H».

—Tengo que responder.

—Tranquila, Gaby. Cuando nos hagan pasar, te aviso.

—Gracias, Hugo.

Hila no es César. Eso lo sé. Y me lo repito antes de pensar si debo o no llamarle. No es él. Por supuesto que no. Pero quizá el dolor físico que hoy siente Jorge sea una metáfora —contundente y sangrienta— del que yo puedo llegar a sentir si me empeño en volver a verme con Hila. Lo estoy sacando todo de quicio... Lo sé. Hago deducciones absurdas, hiperbólicas. Pero tampoco puedo evitarlo (¿de qué o de quién intento protegerme?). Hay algo en ese chico que me gusta, sí, algo que podría convertirme en adicta. Algo que, sin embargo, no es tan brutal como lo que pasó anoche en el restaurante (Ángel D., eso era lo que ponía en su tarjeta) y que, sin embargo, me obliga a pensar en él más de lo que me parece necesario.

«Ahora no puedo, Hila».

—Vamos. Ya podemos pasar.

Ayudamos a Jorge y casi diría que lo empujamos hasta la habitación donde una policía de expresión amable se apresta a tomarnos declaración. Hace las preguntas con rigor y autoridad, pero sabe no resultar demasiado inquisitiva, de modo que, al fin, consigue que Jorge nos cuente lo que ha pasado en su piso esta mañana.

—¿Entonces conocía a su agresor?

—Sí.

—¿Un amigo, un familiar...?

—Un amigo.

—Cuantos más datos nos facilite, más fácil será que podamos intervenir.

—Nos veíamos.

—¿Como algo más que amigos?

—Sí.

—Bien. ¿Hacía mucho tiempo de eso?

—Un mes. Dos como mucho.

—¿No puede ser más concreto?

—No sé, ahora yo no sé...

—Tranquilo. ¿Quiere un poco de agua?

—Gracias.

—¿Habían quedado en su piso?

—No.

—¿Le ha visitado por sorpresa entonces?

—Sí.

—¿Cuándo se presentó?

—Anoche.

—¿Pasaron la noche juntos?

—Sí.

—¿Discutieron?

—No.

Jorge mastica las palabras. Y los silencios.

—¿Y esta mañana?

—Tenía que darle una mala noticia. Algo que sabía desde hacía días y que no encontraba el modo de...

—¿De qué se trataba?

—De un cásting. Una prueba que le conseguí hace un par de semanas... Para un montaje que yo produzco.

—¿Y?

—El director me llamó para decirme que había elegido a otro. Que mi candidato no daba la talla.

—¿Se lo ha dicho así a él?

—Lo he suavizado... Pero sí, se lo he dicho nada más levantarnos. Había empezado a ilusionarse con ese papel y temía que, si lo prolongaba, fuera peor.

—¿Lo ha culpado a usted?

—Sí.

—¿Y luego?

Jorge traga saliva.

—Yo solo quería calmarle.

—¿Qué ha hecho él?

—¿Es necesario?

—Me temo que sí. Prosiga, por favor.

—No lo recuerdo bien... Sé que me he acercado y que le he dicho que habría más ocasiones, que no se preocupara... Mi socio y yo producimos muchos montajes cada año... Pero él no me escuchaba... Él gritaba... Él ya solo gritaba...

—¿Le ha insultado?

Jorge no puede seguir hablando. Bebe agua intentando encontrar las palabras, pero tiene que esforzarse tanto por tragarse las lágrimas que apenas es capaz de articular una sola frase completa. La policía espera con paciencia y Hugo —que parece conocerla— se lo agradece con la mirada. Yo no dejo de agarrar la mano de mi amigo con fuerza mientras, a la vez, escucho vibrar el móvil en mi bolso. Sé quién está llamando y también sé que ahora ni puedo ni quiero cogerlo.

—Tómese su tiempo.

—Sí, me ha insultado.

—¿Y usted qué ha hecho?

—Me ha dicho que le doy asco... Que soy un puto viejo... Una maricona que se follaba por pena... Que solo me había pedido una cosa y que no sirvo ni para eso...

—Jorge, no sigas. No es necesario que digas nada más.

—Es lo que ha pasado, Hugo. ¿Queréis saberlo o no?

La sombra de la culpa no lo abandona. Hugo lo mira como si fuera él quien le hubiese golpeado. Como si esos insultos hubieran salido de su boca. Ahora mismo no sé quién va a verse más afectado por todo esto: si la víctima directa o la indirecta. El hombre magullado en su cuerpo y en su honor o el hombre atrapado en unos remordimientos que quizá Jorge, y eso sí me da miedo, aproveche en su contra. Ojalá no decida que el chantaje es una opción: eso no sería más que otro error. Y quizá aún peor que el que acaba de cometer.

—Le he dicho que no le entendía... Que se calmara... Y me he acercado a él... Solo iba a darle un abrazo... Nada más que un abrazo.

—¿Y entonces le ha agredido?

Asiente con la cabeza y, ahora sí, rompe a llorar. Se convierte, en tan solo unos segundos, en un niño asustado. Y dolido. Un niño que no es capaz de seguir hablando y en el que las heridas hablan, gritan, por él. Suelta mi mano y se abraza a Hugo, que lo rodea con su culpa mientras Jorge sigue llorando sobre su hombro.

Cuando salimos de allí y los veo alejarse —Hugo le va a acompañar a casa y seguramente se quedará a dormir—, tengo la certeza de que Jorge está a punto de cometer un nuevo error. El mío, por supuesto, vuelve a vibrar en mi BlackBerry y se presenta, esta vez, en forma de correo electrónico.

De: discretoindiscreto@hotmail.com
Para: ilsamad@hotmail.com
Asunto: Silencio

Gabriela, veo que tu manera de afrontar aquello que no controlas es silenciarlo. Y ese algo está claro que soy yo. Porque te asusto. O porque te agobio. No tengo ni idea.

Me merezco una explicación. Aunque sea breve. No sé si me merezco también algo más. Pero te dije que no sería un problema en tu vida ni en tu matrimonio y, por supuesto, no voy a serlo. Soy un hombre de palabra.

Me gustaría hacerte entender que tengo ganas de verte. Que me apetece volver a pasarlo bien juntos. Que me resisto a que la última vez no seamos conscientes de que es la última vez.

En las películas (¿recuerdas cuando te fingías Ilsa?), siempre lo son.

Nos falta una escena final. ¿No te parece?

H.

42

¿No había otra sucursal? ¿Ni otro banco? ¿Ni siquiera otro día? Pues no. Sandra ha decidido que, para abrirse un fondo de inversión, mejor se viene a la mía, justo hoy viernes, a que la atienda yo.

—Me das más confianza, Leo.

Y como Sandra me sonríe siempre como si yo fuera un ídolo del rock, Gonzalo no puede evitar espiarnos y observar la escena como si se tratase de un *sketch* cómico. Y sí, sí lo sería si yo no estuviera hoy realmente angustiado por la cita del lunes con mi chantajista. Pensando en lo interminable que va a ser este fin de semana hasta que llegue el momento de desvelar, de una vez, su identidad. Y, sobre todo, sus intenciones.

—Tú explícamelo despacio, que yo me entere bien.

Sandra me sonríe (¿con malicia?) y yo intento mantener una frialdad que, cada vez, se debilita más. Teniendo en cuenta cómo me mira mi mujer —y peor aún, cómo no me mira—, no puedo negar que me halaga la forma en la que Sandra se fija en mí. Sé que lleva años interesada, aunque sea tan mojigata que jamás se atrevería a decírmelo, pero entre que su matrimonio salió fatal —con divorcio traumático y eterno— y que le pone mi faceta de padre —a ella la maternidad le ha quedado pendiente, imagino—, a veces tengo la impresión de que coquetea conmigo de manera más que obvia. Y si no estuviera metido en la que estoy metido, puede que hasta me atreviera a atacar y a probar a pasar un buen rato con ella. Pero ahora, precisamente ahora, una mentira como esa es lo último que necesito tener que ocultarle a Gaby.

—¿Me vuelves a explicar las condiciones?

Gonzalo se ríe, le da un codazo a otro compañero al que apenas conozco —me encanta su discreción— y yo le cuento a Sandra, por tercera vez, lo mismo que le he contado las dos anteriores. Ella sigue sin escucharme —juraría que me ha rozado con una pierna— y, lógicamente, esta vez tampoco se entera. Aparto la pierna —debe de haber sido una confusión mía— y sigo hablando sin esperanzas de ser comprendido.

—¿Puedes comer conmigo? Así me lo explicas con más calma.

No sé si lo de la pierna sería intencionado, pero la invitación a comer sí que lo es. Tengo que decirle que no, por supuesto, porque no me parece sensato tontear con una de las amigas de mi mujer. Por muy buena que esté. Mi mujer, para las amigas, tiene muy buen criterio y, para su edad (les jode que se lo diga, pero es que su edad es su edad), están muy bien. No, no es sensato hacer nada. Y mucho menos con ella, la más anticuada, la única que, si pasa algo, sé que me daría más de un problema. Porque esta no es como la otra, como Lorena, que sí que tiene un punto canalla. No, qué va. Sandra es de las que se ha equivocado de generación y estaría más feliz en la de su madre que en la nuestra. Además, hace un rato he recibido un mensaje de Gaby para ver si quiero comer con ella. No, está claro que hoy ante la invitación de Sandra solo hay una respuesta sensata posible.

—Pues claro. ¿A las tres en el Vips que hay justo enfrente del banco?

—Genial.

Sandra se va encantada. Gonzalo se descojona. Y yo, bueno, pues yo sé que estoy haciendo el imbécil, pero vuelvo a mis obligaciones con el ego hinchado y con la testosterona por todo lo alto. Quizá eso, precisamente, me ayude a que lo del lunes salga bien. Solo necesito algo de confianza. Fe en mí mismo. Y nada como una seducción —facilita y con premio seguro— para conseguirlo.

43

Intento arreglarlo. Afrontar la situación y hacer algo al respecto.

No podemos seguir así, me digo mientras vuelvo al trabajo, y pienso que ya es hora de dejarme de tantos parches y actuar. Por mí, ante todo por mí. Llevo años pensando en qué pasaría con Adrián. O con Leo. O hasta con mi familia. A veces, aunque mi madre no se lo crea, ella también está en medio de las decisiones que tomo. Y por su culpa sigo en este trabajo que odio, porque no pienso darle el gusto de renunciar y ser la fracasada que, en el fondo, ve en mí. Y por Adrián, por él nunca me he planteado distanciarme, de verdad, de su padre, porque no sé si quiero hacerle pasar por una separación de la que yo, sinceramente, tampoco estoy segura. Y por Leo, porque me parece injusto tomar una decisión sin que él haya hecho otra cosa que envejecer. No he puesto jamás las cartas bocarriba. ¿Se puede culpar a tu pareja por hacerse mayor? ¿Hay forma de saber quién es el responsable de que el día de día se vuelva tan gris? No lo creo, por eso sigo aquí. Por eso nunca me he ido del todo.

Pero hoy ya no es bastante. Tengo demasiadas ganas de escribir un correo a Hila. O de volver a ver a ese tal Ángel D., un amante anónimo que me excita más cuanto menos sé de él. Y por eso, cuando recibo el correo de Lara —con su amenaza de sacar a la luz esa jodida foto—, decido que lo mejor es afrontar los hechos y llamar a Leo para pedirle que coma conmigo: no quiero postergar esta conversación. Necesito sacarlo todo cuanto antes, desahogarme, sentir que sí que hay un nosotros y que, aunque lleve años ahogándome aquí mismo por culpa de todos los demás, hay un motivo, también en mí, para no irme del todo.

«Imposible, nena. Lo siento. B».

Ni una palabra más. Y eso que mi sms era bastante intenso. Todo un prodigio de síntesis verbal en el que conseguía transmitirle a Leo que 1) me sentía mal, 2) me apetecía comer con él, 3) tenía algo importante que contarle y 4) era más o menos urgente. Desazona, ¡y cómo!, ver que ninguno de esos cuatro argumentos ha sido suficiente para convencerle. Podía haber añadido un 5) me estoy muriendo y seguramente su respuesta habría sido la misma: «Imposible», con su «nena» incluido.

De: ilsamad@hotmail.com
Para: discretoindiscreto@hotmail.com
Asunto: Silencio... roto

Los finales nunca se ven venir. Se viven sin saber que lo son —salvo en el cine, sí— y por eso luego, cuando pasa el tiempo, algunos incluso dejan de dolernos. El nuestro, si ha de ser, prefiero que haya sido ya. No quiero despedirte, Hila. Y sé que, si sigo conociéndote, esa despedida podría costarme más de lo que yo considero razonable.

Como ves, no es este un e-mail en el que oculte nada. Ni siquiera el miedo que me da que haya algo en ti que pueda sacar la parte más vulnerable de esta mujer que, y eso lo habrás notado, no está nada acostumbrada a serlo.

Hoy, en mi correo —y eso tampoco sé si debería contártelo—, he recibido una foto en la que estamos juntos. La envía alguien que quiere amenazarme con ella y, sin embargo, creo que me ha hecho un favor. Le debo una respuesta y, en vez de enojarme, será un gracias. Porque en esa foto veo tanto lo que me gusta de nosotros —la presencia, la química, la cercanía—, como lo que me asusta: yo misma. Un yo que no solo te dobla en edad, sino en ataduras, en bagaje, en todo lo que impide que esto sea algo más de lo que ya ha sido.

Y podríamos prolongarlo, por supuesto. Podría seguir acostándome contigo, pero ni tú eres el superficial que me vendías en nuestro primer chat ni yo la mujer fatal que quería aprender a llegar a serlo. Los dos tenemos facilidad para lo emocional y eso, ciclotimias aparte, nos hace frágiles.

No creas que te subestimo. Ni tampoco pienso que te hayas enamorado de mí. No soy tan melodramática. Pero sí sé que, si doy un paso más, acabaremos involucrados. Igual que en esa foto en la que me abrazas justo antes de que me suba a un taxi —y mira que te dije que no me acompañaras—, esa imagen en la que estoy a punto de desprenderme de algo que me hace feliz y que, sin embargo, sé que no ha de formar parte de mi vida.

Por sentido común. Y por coherencia.

Nos queda París, ¿no?

Esa podría ser nuestra escena final. Solo que sin nosotros dentro.

G.

De: discretoindiscreto@hotmail.com
Para: ilsamad@hotmail.com
Asunto: RE: Silencio... roto

Tú lo llamas coherencia. Y yo miedo. Miedo a que alguien más nos vea. Miedo a que esa foto se haga pública. Miedo a tomar una decisión y a incluirme en la parte de tu vida que tú quieras dejarme.

No soy un niño. No me enamoro tan rápido. Pero sí —¿cómo era?— «me involucro». Y quiero «involucrarme». No sé qué hay de malo en vivir desde dentro en vez de hacerlo siempre desde fuera.

Puedes mentirte. Y actuar como si la superficialidad —«no involucrarse»— fuera la solución. Pero a mí las palabras de tu correo de hoy me suenan tan vacías como los mensajes que no me envías, como las noches que no compartimos, como las historias que no nos contamos.

Mientras tú decides el guion de nuestra última escena —no creo que no la haya: ¿vas a decepcionarme hasta ese punto?— seguiré probando con mujeres con las que, de momento, sí que no «me involucro». Lástima que eso solo ocurra con quien, como es el caso, parece no estar a la altura.

H.

—¿Estás bien, Gaby?

—No, Alejo. Lo de la comisaría ha sido duro...

—Ya. Cuando puedas, llama a los de producción. Han estado toda la mañana buscándote.

Espero a que se aleje, abandono mi mesa y me encierro en el baño —un minuto, solo quiero un minuto—, para desahogar toda la rabia que siento ahora mismo. He llegado hasta donde he llegado porque he sabido tragarme el llanto en el momento justo y nadie —ni un niñato que me llama cobarde, ni una cantante enloquecida que me chantajea con una foto de mierda, ni un salvaje que agrede a mi mejor amigo— va a conseguir destruir ese disfraz de autocontrol que llevo años —décadas, coño, décadas— construyendo.

Solo después de vaciar toda la rabia en el aseo, de recomponerme frente al espejo, de recuperar a la excelente profesional que soy, regreso a mi puesto y le pido a los de informática que rastreen la IP del ordenador desde el que ha escrito Lara. Me confirman que no coincide con ninguna de las direcciones de los e-mails amenazantes anteriores y eso me hace pensar que, quizá, no fue ella la de los anónimos. A fin de cuentas, la foto me la manda sin ocultarse, con su nombre bien claro en el remite y la firma en su e-mail. Si ella fuese la responsable de los demás correos, tampoco habría figurado explícitamente en este. Mierda... ¿Y entonces quién? ¿Quién lleva semanas acechándome con tanta saña?

No sé qué hacer para no romperme del todo —de miedo, de soledad, de insatisfacción...— y tomo tres decisiones para evitarlo.

La primera es seguir mi consolidado método Escarlata O'Hara y posponer la conversación con Lara. Me vendrá bien contar con el fin de semana para enfriar las ideas.

La segunda, inventarme una excusa verosímil —o no, ya qué más da— y pedirle a mi madre que se quede el lunes por la noche con Adri, por sms, claro, porque no me apetece mucho tener que oírla.

Y la tercera, enviar otro mensaje proponiéndole vernos ese mismo lunes a alguien que dice llamarse Ángel D. y que para mí solo es la promesa de un polvo que espero que sea tan voraz y tan sórdido como para hacer que mi semana empiece de la manera más intensa posible.

44

Que el diálogo no es nuestro fuerte no es ninguna novedad, pero que Gaby no haya sido capaz de contarme lo de la paliza a Jorge sí que me jode un poco. Puede que no me caiga muy bien, incluso puede —vale, sí, lo admito— que me ponga nervioso el tema gay —yo qué sé, no les entiendo y creo que tampoco ellos me entienden mucho a mí—, pero si hay algo que ella sabe que rechazo es la violencia. En todas sus formas. Me habría gustado saberlo y mandarle un mensaje o algo. Vale que no somos grandes amigos —ni falta que hace—, pero sé que es alguien importante en la vida de Gaby y yo, aunque ella me tome por un imbécil, tengo algo de sensibilidad. O eso creo.

Me he enterado por Hugo, en el gimnasio, justo cuando me peleaba con una máquina —infernal, como todas— que era incapaz de controlar. Un segundo antes de que una barra me rompiera la espalda —porque ese era el desenlace previsible de mi temeridad deportiva— Hugo ha sujetado la máquina con un brazo asquerosamente hercúleo —qué manía tiene la gente en los gimnasios de ir siempre sin mangas— que me ha hecho dudar de esa masculinidad que tanto se me había fortalecido, horas antes, comiendo con Sandra. Quizá a Gaby —y a su generación de mujeres que no quieren ser mujeres o que quieren ser más mujeres que nadie— les vendría bien enterarse de que los hombres, aunque ellas no se lo crean, también tenemos altibajos.

El caso es que, aprovechando el incidente, hemos estado charlando un rato. Lo de Jorge me ha dejado algo tocado y lo peor es que se me hacía muy difícil pasar de ese tema al que realmente me interesaba: la investigación sobre el caso de Alba. No quería pecar de insensible —y creo que no lo he hecho—, pero he visto a Hugo tan preocupado —incluso se va a quedar, según me ha dicho, este fin de semana en casa de Jorge hasta que venza un poco el miedo que le ha dejado la agresión— que no veía la manera de colocarle mis preguntas. Por otro lado, no he venido al gimnasio un sábado por la mañana —la de masocas que se machacan el cuerpo los sábados por la mañana, por cierto— para irme con las manos vacías, ¿no? Al final, después de que uno de los monitores se dirigiera a nosotros (solo para decirnos que cerraban en una hora y que ya podíamos empezar a recoger), he aprovechado su interrupción y la bajada a las duchas (otra vez me ha tocado ver a Hugo en pelotas: qué dura es la vida del investigador *amateur)* para reanudar mi interrogatorio sin que se notara demasiado.

—¿Y cómo va lo del caso de la chica atropellada?

A él, de lo sutil que he sido, se nota que lo he desubicado un poco.

—¿Perdona?

He tenido que repetir la pregunta y hasta darle una pista, porque mi agilidad dialéctica lo tenía medio noqueado. Normal. En bolas no se puede pensar igual por mucho que los gays se empeñen en que sí.

—¿Se sabe ya qué hacía la chica por allí? ¿Un lunes y a esas horas?

—Cuánto te interesa este caso, ¿no?

De acuerdo. Hugo es buen tipo. Pero no gilipollas. Es la primera vez que me mira de forma diferente desde que hemos comenzado nuestra incipiente amistad. Porque esto, a su modo, es casi una amistad.

—Es que he coincidido con la familia un par de veces.

—¿Dónde?

El interrogatorio debía ser al revés. Yo pregunto. Él responde. No a la inversa.

—En el hospital. Cuando he ido a visitar a mi amiga.

—¿No era un amigo?

—No.

Coño, Leo, ya has metido la pata.

—Me habré confundido.

—El caso es que la familia de la chica es algo peculiar, ¿no crees?

—Están destrozados. Así es difícil de valorar... La madre apenas habla. Y el padre, bueno, el padre sí es un tipo algo raro... Tan pronto pasa de la ira a la tristeza como a la cordialidad más absoluta.

—Yo creo que hay algo más.

—¿En serio? ¿Desde cuándo investigas crímenes sin resolver, Leo?

—No jodas, Hugo. Solo especulaba.

—Como sigas especulando tanto te voy a tener que incluir en la lista de sospechosos.

Se ríe. No sé si porque está de broma o porque quiere hacerme creer que lo está. ¿Lo de la lista de sospechosos iba en serio? Voy a tener que tomar medidas muy urgentes si quiero evitar la catástrofe que empieza a aproximarse.

—Ya, claro.

Y me río de manera tan estúpida que uno de los mastodontes ciclados habituales se vuelve y nos mira. No sé con qué objeto, pero tampoco quiero detenerme a descifrarlo.

—Mira, Leo, hay cosas que no cuadran. El padre, por ejemplo, no estaba en casa cuando ocurrió todo. Él dice que salió a comprar tabaco. Su hija pequeña dice que a comprar un cartón de leche. Es una gilipollez, lo sé, pero ni siquiera se ponen de acuerdo en eso.

—Ya.

—A lo mejor tú sabes algo más. Has hablado con ellos, ¿no?

—Pero muy poco.

—¿Sobre qué?

—Solo les dije que lo sentía. Soy padre, Hugo. Esas cosas te llegan.

—¿Y no te parece que ocultan algo?

—No sé. Todos ocultamos cosas, supongo.

—¿Tú también?

—No jodas.

Y ahora el que se ríe soy yo. Intento que suene natural, pero me queda casi histriónico. El mastodonte de antes mira de nuevo y Hugo solo sonríe. Aunque su mueca también parece algo forzada.

—Quizá deberíais investigarles a fondo, Hugo.

—¿A quién?

—A la familia.

—Ellos no atropellaron a su hija.

—Pero a lo mejor sí tienen la culpa de que saliera corriendo...

—Veremos.

No es gran cosa, desde luego, pero que la policía investigue a fondo a la familia de la supuesta víctima —y digo supuesta porque aquí, la única víctima real y comprobada soy yo— me viene bien. Si no fuera porque Hugo ha vuelto a mirarme con la misma expresión ambigua de antes, hasta me habría quedado más tranquilo. Pero no es así... Incluso me ha parecido que, cuando hemos bajado al párking del gimnasio, se ha fijado en mi coche. ¿Sospecha de mí de verdad?

Ahora necesito que el tiempo me dé la razón. Cuanto antes. Yo ya tengo una hipótesis: la culpa fue de ellos, y si se confirma, podré dejar de preocuparme por lo que suceda después. De momento, eso sí, no puedo contar con ello para mi encuentro del lunes y, me guste o no, tendré que ser cauto con quien quiera que vaya a estar esperándome en el Templo de Debod. Sepa lo que sepa de mí y me pida lo que me pida, aún no puedo hacerle ver que quizá, en breve, todo esté resuelto y el caso, cerrado. Esa carta —por muchas ganas que tenga de sacármela de la manga— todavía debo llevarla bien oculta. Sobre todo ahora que Hugo podría empezar —e intuyo que lo hará— a pisarme los talones... No, tengo que guardarme mis conjeturas. Igual que la navaja que, por si acaso, he comprado en un chino esta mañana. Supongo que, con mi torpeza habitual, en caso de usarla lo más probable es que me autolesione, así que confío en no tener que emplearla y la guardo, con desconfianza, en mi bolsillo izquierdo, no vaya a pincharme sin darme cuenta cuando intente sacar las llaves de casa del bolsillo derecho. Que todo, en días tan extraños como estos, podría pasar. Seguro.

45

Intento que mi madre no me afecte. Sigo, uno a uno, todos los consejos que me ha dado mi psicoanalista en las infinitas sesiones que hemos dedicado a este mismo tema. Me propongo llevarlo con naturalidad. Hasta me acuerdo de respirar al ritmo adecuado. Y de hacer pausas. Y de contar hasta cinco antes de dar una mala contestación. Lo recuerdo y lo practico todo con una disciplina que me asombra y, sin embargo, no consigo sentirme mejor de lo que me sentiría si hubiera mandado a la mierda todo ese autocontrol que, en el fondo, no sirve más que para reprimirme.

—¿Con quién dices que cenas hoy?

—Con Sandra, Inma y Lorena.

—¿Y cómo es que habéis quedado un lunes?

Tiene gracia que mi madre sea quien expresa las sospechas que Leo ni siquiera ha esbozado. No sé si eso me dice más sobre la suspicacia de ella o sobre la indiferencia absoluta que parece que le provoco a él.

—Lorena no podía otro día.

—¿Lorena es la de la radio?

—Sí.

—Me gusta su programa.

—Está algo descontenta. La presionan mucho con el tema de las audiencias.

—Pero sigue siendo un buen programa. Con buenos contenidos... ¿Este disco lo has producido tú?

—¿Ese? Sí. Lo lanzamos en una semana.

—Son monos... ¿Cantan bien?

—Algo así. Necesitábamos un grupo de fans... A ver si hay suerte y este cuaja.

—¿Ves, hija? Las presiones os afectan a todas.

—Un poco sí.

—¿Pero Lorena dirige su propio programa, verdad?

El «no como tú» se lo ahorra, pero suena tan rotundo y tan brutal como si lo hubiera pronunciado en voz alta.

Me siento juzgada. Menospreciada. Siempre por debajo de la mujer que pude haber sido y que, desde luego, no he llegado a ser. Esa mujer que jamás ha existido y que, sin embargo, mi madre sigue usando como baremo. Directa, indirectamente. Qué más da. Incluso cuando no habla lo está diciendo. Su eterna insatisfacción con esta hija única que —admítelo, mamá— jamás ha cumplido sus expectativas. Por eso me cuesta tanto pedirle ayuda. Por eso me lo pienso tanto antes de marcar su número. O de ir a verla. Porque cada vez que rompo esa distancia me encuentro, de nuevo, con todos los complejos que ha ido inculcando en mí desde pequeña, desde que empezó a criar a esa futura creadora que, no sé si por incapacidad o por rebeldía, yo jamás llegué a ser.

Según recuerdo, no se me daba mal. Eso decían mis profesores (¿porque era cierto o porque mi madre les presionaba para que me lo repitieran, aunque fuera mentira?). Me sentí obligada a abandonarlo todo: era la única forma de dibujar mi identidad lejos de esa sombra que me abrumaba. Peor aún, que me absorbía. Tal vez, si ella no se hubiera empeñado en construirme según sus pautas, yo no habría dejado la creación musical. Ni la interpretación. Tal vez, si ella me hubiese dejado elegir quién quería ser, me habría convertido en esa mujer que a ella sí que le habría gustado. O quizá no, claro. Quizá me faltaba el talento y mi rebeldía no fue más que una manera de disimular ese fracaso con un toque romántico y revolucionario.

Ninguna de mis decisiones, desde entonces, le ha parecido jamás adecuada, pero en vez de expresarlo abiertamente se limita a fingir aprobación para, justo después, soltar algún reproche aparentemente minúsculo y, por supuesto, profundamente desestabilizador. Lleva años dejando claro que nada de lo que hay en mi vida le gusta. Nada salvo Leo, y no porque le pareciera que hice bien eligiendo a alguien que no estaba dentro de nuestro círculo de amistades —su espíritu decadente no le permitiría semejante concesión—, sino porque le divierte poder idealizarle a él para seguir menoscabándome a mí.

—¿Y cómo es que tu marido también está fuera hoy lunes?

—Cena con unos clientes.

—Le va bien en el banco, ¿no, Gaby?

—Está contento con su ascenso, sí. Además, ahora andan buscando a un director para una nueva sucursal y, al parecer, él tiene posibilidades.

—Es un hombre con mucho talento.

¿Eso quiere decir que yo no? Está bien. A lo mejor me obsesiono y me empeño en ver acusaciones donde solo hay halagos para los demás. Quizá si esos halagos, de vez en cuando, fueran para mí, no me comportaría con tanta suspicacia. Además, puede que sí tenga celos de los últimos logros de Leo. Y no porque ponga en duda que sean o no merecidos, sino porque de un tiempo a esta parte su carrera no deja de progresar mientras la mía, por el contrario, da la sensación de haberse estancado. Un buen puesto, sí, claro. Pero el mismo desde hace años. Sin nuevos retos. Sin más desafíos que lo ya conocido. Y con un entorno cada vez más encabronado y un jefe cada vez menos abierto a nuevas ideas.

—No dejes que Adrián se acueste demasiado tarde. Mañana tiene clase.

—Y tú trabajas...

—Lo sé, mamá, lo sé.

—Hace un poco de fresco, Gaby.

—Ya.

—Lo digo por la falda. ¿No es demasiado corta? Que no tienes veinte años, hija.

—Se llevan así.

—Si tienes veinte, sí. Si tienes cincuenta...

—Cuarenta y ocho.

—Estás muy guapa, hija. Diviértete.

Subo en el taxi —con esta falda ridícula para mi edad: gracias, mamá— y le digo la dirección del NH donde vamos a vernos. Por su mensaje está claro que, como yo, tampoco vive solo. Esa intuición, junto con su nombre —Ángel D.— es todo lo que sé de él. Tengo que preguntarle, por cierto, qué significa esa inicial y, sobre todo, si puedo llamarle solo así: D. Cuantas menos letras, mucho mejor. Cuanto más anónimo resulte todo, más morboso y menos riesgo de volver a complicarme como lo he hecho con Hila. Se me hace raro que la fuga de esta noche no tenga como destino su apartamento y por un momento tengo la tentación de pedirle al taxista que pare, dé la vuelta y me lleve hasta allí.

«Habitación 237».

Ni siquiera le respondo. Escribo un posible texto en el whatsapp, pero lo borro antes de enviarlo. D., que también está conectado, no me pide que acabe de escribirlo. Ni que le responda. No es tan impaciente como Hila. Ni tan inseguro. Le da igual, supongo, que le responda o no, porque sabe que voy a ir de todas formas y porque, como me ocurre a mí con su inicial —su D—, debe de preferir el silencio y el sexo sin datos a la conversación y el sexo con emociones. Así que, en cuanto llego al hotel, me dirijo directamente al ascensor. Omito un mensaje para hacerle saber que ya he llegado y me limito a llamar a la puerta de la habitación donde vamos a pasar un par de horas. Tal vez un poco menos.

Me abre —traje distinto al de la otra noche, pero tan impecable como aquel— y me recibe con un beso largo y algo agresivo. Apenas me da tiempo a ver la habitación mientras llegamos a la cama y nos tiramos, como animales, sobre ella. La chaqueta en el suelo. La camisa ya casi arrancada. Los zapatos que caen también a un lado. Él responde quitándome la blusa, desabrochándome el sujetador y metiendo las manos por debajo de mi falda, esa falda que no es propia de mí, ni de mi edad, esa falda con la que esta noche, esta jodida noche, parezco excitarle incluso más que el otro día.

Me gusta cómo usa su lengua en mis pezones, cómo acaricia mi cuerpo mientras me recorre entera con sus labios, cómo acaba de desnudarme sin que yo pueda darme cuenta siquiera, cómo se desplaza por mi piel hasta que lleva su boca a mi cintura y allí se interna y se detiene en mi sexo, con una voracidad casi morosa.

Feroz, delicado, salvaje, tierno. Juega con los extremos mientras yo, inerme, me dejo hacer, porque si lo he llamado esta noche no es para compartir nada con él, sino para que me haga olvidar cuánto me aburre ahora mismo todo lo que me rodea. Para que cuando grite de placer —porque hoy sí voy a gritar, hoy sí quiero gritar— pueda alzar mi voz contra todo lo que siento que me ahoga. Contra todos los muros que me alejan de una felicidad que, hace no tanto, sí parecía posible.

46

Estaba seguro de que era David.

Solo tenía curiosidad por el detalle de los envíos —¿se había fundido la indemnización del despido viajando por media Europa para hacerme llegar sus anónimos?— y por descubrir, sobre todo, cómo se había enterado de ese algo de lo que pretendía acusarme. Cabía la posibilidad, claro, de que nuestros «algos» fueran diferentes y, con un poco de suerte, el suyo fuera mucho más inofensivo que el mío, porque lo que David no podía saber es que si no tenía nada del accidente de Alba, en realidad, no tenía nada en absoluto contra mí.

Por todo eso, a pesar de llevar conmigo la navaja, cuanto más se acercaba la hora de nuestro encuentro, más tranquilo empezaba a sentirme. Esta noche, por culpa del frío, no había ni rastro de las parejas del otro día. El Templo de Debod estaba completamente desierto y eso, aunque no fuera nada tranquilizador, tampoco me ha alterado demasiado. No tanto por la seguridad que pudiera darme la navaja —que, básicamente, era ninguna—, sino porque no creía que David estuviera tan loco como para atacarme a sangre fría.

Después del encuentro, sin embargo, toda esa supuesta serenidad se ha desmoronado y he necesitado volver a casa andando. Dando un larguísimo paseo para calmarme un poco y, de paso, convencerme de que lo que acababa de pasar había sido real. Todavía ahora, mientras deambulo como un zombi por una calle Princesa casi vacía —alguien que sube a un taxi, alguien que duerme entre cartones a las puertas de El Corte Inglés de Argüelles, alguien que discute con su pareja en la parada del búho—, me cuesta creer que haya existido esa conversación. Mucho peor que todas las que había imaginado. Y eso que, desde que recibí el primer anónimo, confieso que me había imaginado unas cuantas.

—Llegaste puntual.

Tenía tan asumido que iba a ser David que he estado a punto de pronunciar su nombre. Y lo habría hecho si no me hubiera quedado de piedra al reconocer la identidad de la persona que estaba en ese mismo instante frente a mí.

—¿Sorprendido?

—Un poco.

Finjo que domino la situación, pero, por supuesto, no lo hago. Y él lo sabe. Me conoce demasiado bien.

—No quería llegar a esto, Leo.

—¿Ah, no?

—Pero tú mismo me has obligado a ello.

—¿Yo? ¿Se puede saber qué cojones te he hecho yo a ti?

—Estoy contra las cuerdas. Te lo dije. Y te pedí ayuda.

—Lo que pedías no era posible.

—Pues va a tener que serlo.

—¿O qué?

—O lo que pasó saldrá a la luz. No sé qué ocurrirá, Leo, pero sí sé que tu vida con Gaby no será la misma después. Ni con Adrián. Nadie podrá mirarte igual cuando lo sepan.

—¿Cuando sepan el qué? ¡No hay nada que saber! ¡No sabes nada!

—Sé que encontré sangre cuando arreglé tu coche. Sé que no te diste contra una puta columna. Y sé que estabas histérico aquel día. ¿Quieres que siga?

Manu el comprometido. Manu el solidario. Manu el hombre ONG. Manu el 15-M. Manu el íntegro... Y aquí estamos, viendo cómo Manu se ensucia en el fango y comparte conmigo parte de esa mancha de sangre que, hasta ahora, solo parecía alcanzarme a mí.

—¿Y para esto has esperado tanto? ¿Para esto tanto teatro?

—No quería acusarte sin comprobarlo antes.

—No has comprobado nada.

—¿Ah, no? ¿Y que hoy estés aquí no te parece prueba suficiente? Si no hubieses venido, habría enterrado el tema. Sé que eres un cobarde, así que no habrías acudido a mi cita si no tuvieras de verdad algo que esconder. Por eso estás aquí.

—No te atreverás, Manu.

—¿No? Eso es muy discutible... Estoy de deudas hasta el cuello, ¿sabes? Así que o me consigues ese préstamo que te pedí hace meses o me embargan el taller y, casi seguro, me desahucian. No le puedo decir nada de eso a Celia, claro, porque es más joven que yo, porque está muy buena y porque no voy a mandar a la mierda una relación que me hace feliz por un problema de unos cuantos cientos de miles de euros.

—¿Pero de qué hablas?

—Hablo de que si no me falsificas los papeles necesarios para ese crédito, mañana mismo hablo con Gaby y se lo cuento todo.

—Has enloquecido.

—¿Yo? No, Leo, yo no he enloquecido. Aquí lo único que ha enloquecido es el puto sistema. Y tú con él. Hay que estar muy mal para atropellar a alguien y no ser capaz de dar la cara.

—¿Tan mal como para encubrir ese atropello a cambio de un chantaje?

—Son cosas diferentes.

—Vete a la mierda.

Me ha puesto a prueba. Ha jugado conmigo. Y, lo peor, ha ganado. Es cierto que haber venido hasta aquí ha sido estúpido. ¿Cómo pude pensar que alguien sabría, de verdad, lo ocurrido? ¡Si no había testigos, joder! ¿Cómo me he dejado engañar así? ¿Cómo es posible que el miedo me haya traído hasta una trampa tan estúpida? Tan eficaz... Supongo que cuando empezó con los anónimos ya contaba con que mi seguridad iría cediendo. Qué cabronazo... Cómo ha sabido jugar con mi debilidad, cómo ha minado mi confianza hasta tenerme aquí. En sus manos.

—Solo tienes que ayudarme. Ahora puedes hacerlo. Sé que tu cargo te lo permite.

—Manu, ¿sabes lo grave que es lo que me estás pidiendo?

—¿Y tú? ¿Sabes lo grave que es lo que hiciste?

Empiezo a verlo todo mucho más claro. Esto solo es el principio de una previsible cadena de futuros errores. Si he sido capaz de dejarme arrastrar una vez, puede que vuelva a permitirlo en cualquier otra circunstancia. Además, no me conviene dejar tantos cabos sueltos. Y Manu es, ahora mismo, uno de ellos. Y uno muy peligroso. ¿Y si cedo a su chantaje sin más? Entonces ya no tendría un delito del que acusarme. No, qué va. Tendría dos. Y si en el futuro todo vuelve a torcerse, si las cosas no le van tan bien como él espera, sé que volverá a mí y reabrirá este tema. O el del fraude que me pide que cometa o el del crimen que ahora ya sabe —qué gilipollas has sido, Leo— que cometí. Por eso necesito empezar a poner fin a esta historia. Taparla para siempre. Y, de paso, callarle la boca a mi hermano en caso de que quiera volver a chantajearme más adelante. Pero cómo lo hago...

—Es peor que eso.

—¿Peor?

—Hay demasiadas cosas que no sabes, Manu.

Intento ganar tiempo. Elaborar un plan. Otro maldito plan que sustituya a todos los planes fallidos anteriores. No se me ocurre nada, así que, mientras sigo dándole vueltas, meto la mano en el bolsillo y compruebo que, si la necesito, mi navaja sigue ahí. No quiero que esto termine como Caín y Abel, pero Manu no me deja muchas más opciones. O quizá...

De repente, bien porque me hago un ligero corte —joder, lo sabía— con la puta navaja, bien porque me viene a la cabeza la conversación con Hugo de esta misma tarde, caigo en la cuenta de que estoy desaprovechando la mejor opción de todas las posibles: redimirme. Una posibilidad que no solo me va a permitir olvidarme de lo que hice —y evitar que algo similar ocurra de nuevo—, sino que, si juego bien mis cartas, me sacará para siempre de la lista de sospechosos de Hugo, convertirá a Manu en mi cómplice y, por último, evitará que nadie pueda volver a ejercer ningún tipo de chantaje contra mí.

—No me hagas perder el tiempo, Leo.

—Si quieres ese dinero vas a tener que hacer algo por mí.

—¿Callar no te parece suficiente?

—No.

Una pareja se aprieta contra una pared. Una mujer se baja corriendo de un taxi y se interna en un portal. Un tipo se me acerca para pedirme algo en un idioma que no entiendo. La noche resulta antipática y, sobre todo, sórdida. Los lunes, en realidad, son sórdidos por definición... Pero, a pesar de todo, no quiero dejar de caminar. El aire frío me viene bien para calmarme, para asumir lo que he decidido que voy a hacer. A Manu le ha parecido peligroso. A mí, sin embargo, hasta me empieza a resultar excitante. Una nueva mentira con un punto de justicia social y que, como involucrará también a mi hermano, me asegura su silencio de aquí en adelante.

—Solo por curiosidad.

—¿Sí?

—¿Quién me enviaba los paquetes?

—Celia, claro. Ya te dije que viaja mucho por su trabajo.

—Reportera, ¿no?

—Fotógrafa.

—¿Pero lo sabe?

—No, por supuesto que no. Le dije que era un pequeño juego que teníamos tú y yo. Una tontería entre hermanos.

Y eso, exactamente eso, es lo que le he propuesto a Manu al final de la noche.

—Es muy arriesgado, Leo.

—¿Quieres ese dinero o no?

Nada más que otro juego... entre hermanos.

47

Hace años que no coincidía con su socio y, ahora que vuelvo a verlo en casa de Jorge, compruebo que José Luis mantiene la sonrisa pícara de siempre y, sobre todo, su galantería habitual. Es un personaje peculiar, con un punto casi anacrónico, pero también me consta que es un gran productor, así que me tranquiliza saber que sabrá cubrir bien el hueco de Jorge mientras este siga sin encontrarse con suficientes fuerzas como para volver al trabajo.

—¿Estáis preparando algo?

—Estrenamos montaje en breve. En el Bellas Artes.

—¿Algún clásico?

—Según se mire, Gaby...

—Los clásicos son clásicos, José Luis.

—Este no es de los que le gustan a Jorge, ¿verdad?

Silencio. Expresión cabizbaja. Intento frustrado de sonrisa.

—Es una versión modernizada de *La malquerida*.

—¿Modernizada, José Luis? ¿Pero eso se puede modernizar?

—Le hemos puesto un móvil y un ordenador a los protagonistas. Pero el resto es igual. Benavente en vena. A las señoras les encanta.

—No seas machista.

—No lo soy. Ojalá los señores vinieran también, pero a esos los tienen que arrastrar ellas, ¿a que sí, Jorge?

Esta vez ni siquiera hay intento de sonrisa ante las palabras de su socio. Solo silencio. E inicio de ausencia. No está aquí. Realmente no está aquí.

—Invitadme al estreno. Así nos tomamos luego algo juntos.

—Si no eres muy crítica, lo haremos. El reparto es muy televisivo.

—Vaya, sí que promete la función...

—A lo mejor a las señoras les da por venirse con sus hijas. Hay un par de ídolos juveniles de esos a los que les quitamos generosamente la camiseta.

—¿Qué diría Benavente?

—No diría nada. Los autores, los pobres, nunca tienen derecho a decir nada. Total, si lo único que hacen es juntar cuatro palabras.

Mira directamente a Jorge. Intenta provocarle. Pero da igual. Ni siquiera así va a responder. Ahora mismo nada parece sacarlo del lugar en el que se ha encerrado. José Luis, al que noto profundamente triste por lo que le ha pasado a su socio —a su mejor amigo—, se da por vencido, me pasa la mano por el hombro y decide, al fin, marcharse y pasarme el relevo.

—Te aviso para el estreno.

—Claro.

No sé cómo empezar a hablar. ¿Le pregunto si Hugo sigue todavía aquí? ¿Le digo que me cuente cómo sucedió todo exactamente? ¿Me intereso por la investigación? ¿Han arrestado a ese animal?

—He retirado los cargos.

—¿Estás hablando en serio?

Vuelve a callarse y me arrepiento, por un segundo, de la dureza de mi tono. Pero es que no doy crédito. Le da una paliza brutal y él, en vez de asegurarse de que lo condenan o lo multan o lo que quiera que hagan con semejantes hijos de puta, va y retira los cargos. Lo intento, de veras que lo hago, pero no lo entiendo.

—Sí, Gaby. Muy en serio.

—¿Y Hugo qué opina?

—Que soy gilipollas.

—¿Sigue aquí?

—Esta noche ya no. Discutimos. Siempre discutimos.

—Tiene razón él.

—Me da igual si la tiene. No voy a culpar a otra persona de mis propios errores, Gaby.

—¿Te has vuelto loco, Jorge?

—Me cegué porque quise. Era todo tan obvio... Joder, tan evidente. Pero a mí me dio igual. Me daba tanto miedo la soledad. Tanto vértigo... Y jugué con fuego. Jugué con fuego hasta quemarme, Gaby. Tú lo viste. Y me lo dijiste. Claro que me lo dijiste. Pero yo seguí. Porque hacía tiempo que no tenía un cuerpo así en mi cama. Porque quería algo que sabía que ya no va a ser mío. Ya nunca más... Lo que pasó después era lo lógico... ¿Lo entiendes?

—Estás mezclándolo todo. No te puedes culpar de una agresión. Aquí el maltratador ha sido él. Y tú, el maltratado.

—A mí no me ha maltratado nadie. A mí solo me han devuelto a la puta realidad.

—Maldita sea, Jorge. ¡Reacciona!

—Lo hago. Sé muy bien lo que digo.

—Voy a hacerme un té. ¿Quieres otro?

—Sé lo que digo, Gaby. Y sé por qué lo digo.

Lo dejo en su propio bucle mientras me voy a la cocina. Tan pulcra como siempre. El piso de Jorge —puro diseño: minimalismo, muebles italianos, aparatos de sonido Bang & Olufsen— siempre me ha resultado un poco impersonal, casi más un hotel que un verdadero hogar. Me gusta su estética, pero está tan vacío de elementos superfluos —de bagaje vital: ¿qué ha hecho con los objetos de su propio pasado?— que me pregunto si yo no tendría también miedo de quedarme sola aquí. Falta el barroquismo de lo vivido, los adornos estúpidos, los *souvenirs* prescindibles, los libros por leer, las láminas enmarcadas como recuerdo de lugares a los que no volveremos jamás. Ni rastro de todo ese equipaje vital en este enorme apartamento. Tan solo un cuadro, abstracto, por supuesto, regalo de un célebre pintor con el que colaboró en no sé qué montaje y un sinfín de espacios simétricos y oxigenados. Todo en este lugar es geométrico, tendente a una perfección casi enfermiza, amplia y luminosa. Una perfección que disfraza el vacío. Y la insatisfacción. Otra máscara más.

Lo que me pregunto es hasta cuándo podré seguir llevando también la mía. Y Leo, la suya. Anoche, cuando regresé de mi encuentro con D., me sorprendió comprobar que Leo todavía no había llegado. Eran casi las dos de la mañana, así que di por hecho que la cena con los clientes no era más que una tapadera —como sospecho desde hace días— para la cita con esa mujer —o con esas mujeres— que me oculta cada vez con menos habilidad. Me pareció de un cinismo casi insoportable imaginarnos a los dos haciendo el amor en dos camas diferentes mientras la nuestra esperaba vacía. Adrián dormía en su cuarto y mi madre en la habitación de invitados, así que traté de no hacer ruido y me acosté deprisa. No conseguí pegar ojo y pude escuchar cómo se abría la puerta unos minutos después. Vi, fingiéndome dormida, cómo entraba Leo algo más desaliñado de lo que se fue, medio despeinado, con expresión de haber estado en algún sitio mucho más intenso que una simple cena de trabajo.

Esta mañana hemos desayunado los cuatro con una animada charla en la cocina. Mi madre ha estado especialmente amable con su yerno —no tanto con su hija—, Adrián no ha estado especialmente amable con nadie y Leo y yo nos hemos cruzado una serie de comentarios insulsos disfrazados de resumen de la noche de ayer que, se notaba a la legua, no eran verdad. Ni mi cena con las amigas ni su reunión con los clientes, todo sonaba falso, forzado y hasta ridículo. Así que, cuando he subido a mi coche rumbo al trabajo, no sabía muy bien si quería enviarle un e-mail a Hila para disculparme, o un e-mail a D. para repetir, o un mensaje a Leo para decirle que tenemos que hablar de lo que está pasando. No me sentía con fuerzas para hacer ninguna de las tres cosas, y por eso he preferido usar el manos libres para avisar a Jorge de que iría a visitarlo esta tarde. En teoría, solo quería asegurarme de que está mejor. En realidad, creo que voy a buscar motivos para tomar alguna decisión más allá de tirarme al próximo hombre que se atraviese en mi camino.

—Prométeme, Jorge, que vas a pensarlo.

Niega con la cabeza y rehúye —lleva haciéndolo desde que he llegado— mi mirada.

—No tengo nada que pensar.

—Dime que lo harás. Tan solo eso. Y luego decides lo que quieras. Pero dame al menos la esperanza de que vas a reflexionar sobre lo que ha pasado. Sobre lo mucho que el cabronazo ese se merece que no retires la denuncia.

—¿Y por qué tendría que hacerte caso, Gaby?

—Hace tiempo que no te pido nada. No puedes negarme algo así.

—No creo que cambie de idea.

—Tú solo dime que lo vas a pensar. —Cojo su mano, respeto su silencio durante unos segundos y, al fin, consigo que me mire directamente a los ojos—. Solo eso. Por favor.

Retira suavemente su mano y se levanta con dificultad del sofá. Me quedo sentada, observando cómo se acerca a una de las enormes ventanas de esta habitación. Cómo se sitúa frente a ella, de espaldas a mí, como si quisiera encontrar algo en esa ciudad que hoy le debe resultar más hostil que nunca. Respeto su silencio. Y aguardo una respuesta. Una reacción a favor de su orgullo. Y de su dignidad. No pienso levantarme hasta que oiga de sus labios esa promesa.

—Está bien, Gaby —me dice sin girarse—. Lo pensaré.

48

—Anoche no podía dejar de pensar en ti...

—¿Ah, no?

—No.

—Pobrecita Sandra...

—Hasta Inma notó que me pasaba algo.

—¿Gaby también?

—No, si Gaby y Lorena no estaban. Quedé a solas con Inma para tomarnos un café.

¿Y dónde coño estaba mi mujer mientras a mí me chantajeaban? ¿No se suponía que iban a cenar las cuatro juntas? Joder, no sé si me molesta más no saber dónde se metió anoche Gaby o caer en la cuenta, por primera vez en veinte años de matrimonio, de que el mito de la sinceridad ha sido otra mentira. Que si nos lo íbamos a contar todo, que si no había secretos entre nosotros, que si la confianza era la base de nuestra relación. Todo falso.

Y no digo que yo no le haya ocultado cosas, pero lo mío es distinto. Yo nunca le he mentido sobre nosotros, tan solo sobre mí. Y lo he hecho por los dos. Lo he hecho porque necesitábamos ese ascenso para mejorar el nivel de vida. O porque necesitábamos enterrar el asunto de Alba por nuestra propia seguridad. O porque creo que no le gustaría demasiado que yo fuera más mediocre de lo que ella imagina que soy. Por eso le he mentido alguna vez: por necesidad. Por generosidad. Y por nosotros. Eso es muy diferente. No tiene nada que ver con su egoísmo. Con esa cena que relataba hoy en el desayuno y que, estoy seguro, ha inventado para ocultarme una aventura. No creo que sea otra cosa. Salvo que ella también haya matado a alguien y estemos recorriendo caminos paralelos sin saberlo. De ser así, hasta podría entenderlo. Pero si solo se trata de otro tío, pienso que no.

Y menos si es quien me temo que es. No me sorprendería nada que fuera él. Otra vez él. Eso explicaría que Gaby insistiera tanto en que David le caía bien, en que le apenaba ver cómo salía de mi vida. De *nuestra* vida... Por eso, y para evitar problemas, hablé con Julia. Y le dije lo que me parecía que había pasado entre Gaby y David. Al principio solo pretendía desestabilizarle un poco más a él. Me daba miedo que cogiera fuerzas contra mí en el tiempo que nuestros superiores tardaran en decidirse, así que me cité con Julia y le conté lo que había visto últimamente entre su marido y mi esposa. Cómo se miraban. Cómo me preguntaba ella por David con un interés que, la verdad, no me resultaba natural. Julia, como es lógico, al principio no quiso creerse nada, pero me bastó enseñarle la factura del móvil de Gaby con el número de David obscenamente subrayado para que la duda se instalara en ella. No me fue muy difícil: fingí estar afectado por mi descubrimiento —por esas llamadas que yo mismo le había pedido a Gaby que hiciera—, incluso le confesé que estaba pensando en separarme —nada más lejos, claro— y mi papel de víctima consiguió inyectarle a Julia los celos que quería se llevase consigo. Y contra David.

En los siguientes días, la llamé un par de veces más, interpretando el papel del cornudo desolado que necesita desahogarse. Me inventé un par de ausencias de Gaby en días en los que sabía que David había tenido que viajar por motivos de trabajo y le pregunté a Julia si su marido estaba en casa en esas fechas. Mi reacción de sorpresa ante sus noes tuvo que ser de Óscar, porque noté que Julia, que también debía de haber percibido esas miradas que yo había visto de David hacia Gaby, se lo tragaba por completo. O quizá no, pero sí le era imposible creerse del todo a su propio marido. Es una putada, pero si alguien nos miente con la suficiente seguridad, somos capaces de poner en duda la verdad de cualquiera. Sobre todo, la de nuestra pareja.

Supongo que eso ha influido en su decisión de separarse de él, aunque tampoco creo que sea del todo culpa mía. Para nada. Lo más probable es que Julia no haya podido soportar por más tiempo la agresividad y el derrotismo de David, que nunca ha sido bueno encajando contratiempos. No sé si Julia habrá vuelto a pensar en todo esto tras mi última llamada. Admito que estuve algo lento de reflejos, que debí de haber mantenido mi papel de marido cornudo y en crisis para que evitar que ella sintiera la tentación de revisar aquellos hechos. Lo que no tengo tan claro ahora, después de lo que acabo de saber, es si ese papel que yo creía interpretar no será un personaje real. De repente, me pregunto si Julia y yo no teníamos auténticos motivos para sospechar de David y de Gaby. Si mi mujer no ha jugado conmigo en este tiempo, si eso explica que lleve meses tan distante de mí, que no me mire igual, que parezca tan diferente de la mujer con la que me casé. Quizá es él quien la está envenenando. A lo mejor no solo está follándose a mi mujer, sino convenciéndola de que soy el monstruo que él ha decidido creer que soy.

No tengo ni idea de cómo lo voy a hacer, pero necesito aparcar todo eso durante al menos unas horas. Ahora tengo que centrar toda mi atención en acabar los papeles para Manu y es importante que me esfuerce en no dejar ni una sola huella de todas las normas que estoy a punto de infringir. Me juego el cuello, lo sé, pero si lo hago bien, tengo la certeza de poder ocultarlo. Solo es un paso más. Tan solo eso. Y luego, en cuanto esto esté listo, podré pasar a la siguiente fase. Enterrar el cadáver de esa maldita noche de una vez por todas.

Además, esta mañana tenía en mi móvil un mensaje de Hugo que no me ha gustado nada. «A qué hora irás hoy al gym?». Está claro que quiere sonsacarme —en bolas, cómo no, que es como sabe que me intimida más— y me da que ha empezado a atar algunos cabos que necesito desatar cuanto antes. Por eso lo que voy a hacer con Manu es tan arriesgado, pero o me lo juego todo a esa carta o no habrá forma de ganar la partida. Ahora que estoy contra las cuerdas ya no puedo quedarme ni a la sombra ni en el término medio. Al revés. Tan pronto como mi hermano y yo hagamos lo que le he propuesto, ambos pasaremos a formar parte del caso. Una parte esencial... Si todo sale bien, Hugo entenderá mi curiosidad de estas semanas y sus sospechas se desvanecerán para descubrir al único y verdadero culpable de todo lo ocurrido. Si sale mal, puede que tenga que irme haciendo a la idea de cómo debe de ser la vida en una celda. Solo espero que, en ese caso, no me toque compartirla con mi hermano. Eso sí que no lo soportaría.

—¿Hoy comes con...?

—No, hoy no salgo a comer, Gonzalo.

—Vaya... Mucho trabajo, ¿eh?

—Como siempre.

—He oído tu nombre entre los candidatos para dirigir la nueva sucursal.

—Eso me han dicho.

—Qué cabrón, a ti subir se te da de la hostia.

—Talento, Gonzalo.

—Sí, claro. Igual que para las tías, ¿eh?

Gonzalo se sonríe con sorna y vuelve a su mesa. Yo cierro la puerta —prefiero resultar sospechoso a que me pillen in fraganti— y me propongo acabar con los papeles y trámites de Manu en menos de una hora. Tiene gracia: cuando empecé a falsificar mis notas en el colegio, nunca imaginé que mi habilidad para imitar firmas y letras ajenas podría llegar a serme tan útil. Ni a alcanzar —ese mérito hay que reconocérmelo— tanta perfección... Una vez que termine con esto será mi hermano quien deberá mover la siguiente ficha. Confiemos en que todo —si es que ahora, después de lo que sé de Gaby, sigue habiendo algún *todo*— salga bien.

49

ILSA_MAD:	Ocupado?
DISCRETO_HOY:	Para ti, no.
ILSA_MAD:	Todo bien?

DISCRETO_HOY:	Y tú me lo preguntas?
ILSA_MAD:	Qué becqueriano...
DISCRETO_HOY:	Volvemos al inicio?
ILSA_MAD:	Y por qué no?
DISCRETO_HOY:	Prefiero avanzar.
ILSA_MAD:	Hacia dónde?
DISCRETO_HOY:	Eso importa?
ILSA_MAD:	No puedes avanzar conmigo.
DISCRETO_HOY:	Cómo estás tan segura?
ILSA_MAD:	Hay cosas que se saben con la edad.
DISCRETO_HOY:	No empieces otra vez.
ILSA_MAD:	Es mejor así.
DISCRETO_HOY:	Y por eso me buscas?
ILSA_MAD:	Necesitaba despedirme. Hacerlo de verdad.
DISCRETO_HOY:	Eso es lo que estás haciendo ahora?
ILSA_MAD:	Sí.
DISCRETO_HOY:	Quiero verte.
ILSA_MAD:	No puedo tener contigo nada diferente de lo que hemos tenido.
DISCRETO_HOY:	Tampoco lo pretendo.
ILSA_MAD:	Pero yo sí.
DISCRETO_HOY:	Algo como qué?
ILSA_MAD:	Algo como reencontrarme de una vez.
DISCRETO_HOY:	Yo te lo impido?
ILSA_MAD:	Sí.
DISCRETO_HOY:	Pero por qué?
ILSA_MAD:	Porque me lo haces todo demasiado fácil. Así es imposible asumir nada. Imposible pensar.
DISCRETO_HOY:	Un chico-puente.
ILSA_MAD:	No me gusta ese nombre.
DISCRETO_HOY:	El nombre es lo de menos. Tiene nombre el siguiente?
ILSA_MAD:	No hay.

DISCRETO_HOY: Estoy seguro de que te has visto con alguien más.

ILSA_MAD: Sí.

DISCRETO_HOY: Y no tiene nombre?

ILSA_MAD: No es el siguiente. Ahora ya no hay siguiente.

DISCRETO_HOY: Creo que te estás equivocando, Gabriela.

ILSA_MAD: Prefiero que me recuerdes como Ilsa.

DISCRETO_HOY: Eso será muy fácil.

ILSA_MAD: No lo creas. El olvido es asquerosamente rápido.

DISCRETO_HOY: Intentaré que no lo sea.

ILSA_MAD: Suerte... Toda.

Ilsa_Mad ha abandonado el canal y aparece como desconectado. Los mensajes que le envíes le llegarán cuando inicie sesión.

50

No superó el coma.

La noticia, que se produjo hace apenas treinta y seis horas, solo tiene una vertiente favorable: su muerte ha hecho más que improbable que alguien desdiga la teoría que hoy voy a hacer real. Y sé que eso no va a devolverle a vida a Alba —es más, ni siquiera conseguirá callar del todo mi conciencia—, pero al menos sí que evitará que lo que le sucedió a ella se repita en su hermana. Basta observar a Mireia con algo de atención para notar que pasa algo. Que sabe algo. Que todas las piezas que, según la propia policía, no encajan en este caso tienen como centro a un padre que, por supuesto, oculta también algo.

Hace unos días, antes de la trágica noticia, volví a ver a Mireia desde el coche. Pasaba delante del Clínico y ella entraba junto a su padre. Creí ver cómo él la rodeaba por la cintura y ella, con un gesto rápido, le apartaba la mano. Nada importante, claro. Igual que Adrián rechaza a su madre cuando le pide un beso. Solo que ni su madre ni yo repetimos el intento poniendo nuestra mano en su culo. Y eso, exactamente eso, es lo que me pareció ver desde el coche.

No creo que fuera casual la fuga de Alba. Que saliera corriendo sin más. Tampoco me parece casual el silencio de su madre. Ni el miedo que trasluce en cada una de las ocasiones en que he podido verla cara a cara. En realidad, las casualidades no existen —solo las forzamos para lograr que existan—, así que tuvo que haber algo que hiciera que Alba saliera corriendo de aquella forma. Y que su padre la persiguiera al enterarse de su ausencia. Una reacción estúpida, nada planificada, profundamente adolescente. A lo mejor pensaba denunciarlo. A lo mejor le daba pánico hacerlo. A lo mejor ni siquiera estaba muy segura de si lo que estaba pasando era o no correcto. De si podía o no podía seguir tolerándolo.

¿Dudas? Alguna puede que sí que tenga. Pero a Manu le he dado un relato cerrado. Y sin fisuras. He sumado un par de evidencias policiales que, por supuesto, no son verdad (aún), y le he convencido de que si quiere que cometa un fraude para salvarle de la quiebra y el desahucio, él tendrá que hacer lo mismo para salvar a esa pobre chica de repetir el destino de su hermana.

No puedo hablar directamente con Hugo de todo esto. Y ahora que él me está pisando los talones, menos que nunca. ¿Con qué excusa le digo que intuyo lo que pasaba en esa casa? Si lo hago, estaría autoinculpándome. Salvando a una chica, Mireia, para castigar a mi propio hijo: ¿qué iba a hacer con su padre en la cárcel? ¿Cómo lo afrontaría Adrián? Está claro que no puedo cruzarme de brazos ante algo así —no quiero dos víctimas sobre mi cabeza: con una tengo de sobra—, pero he de actuar al margen de los mecanismos oficiales. Sin correr riesgos.

Así que, en el mismo instante en que supe que Alba había fallecido, decidí que debía aprovechar el día de su entierro para acabar con mi tarea pendiente. Y por eso le he pedido hoy a Manu que se tome el día libre y me acompañe al cementerio a hacer un pequeño trabajo de mecánica.

La ceremonia es desgarradora y hay tal cantidad de familiares, amigos, compañeros de clase, profesores... que resulta imposible que alguien se fije en nosotros dos. Esperamos a que todos entren y buscamos el coche de Pablo, un BMW 320 negro que, mierda, no parece tan fácil de encontrar entre este sinfín de vehículos fúnebres. ¿No podía ser de otro color, joder? Manu al fin da con él, aprovechamos que estamos completamente solos y, en tiempo récord, consigue entrar —sería un buen ladrón de coches, ahora que lo pienso—, arrancarlo y golpear ligeramente el parachoques contra el alto bordillo de la acera.

—No se dará cuenta. Es casi imperceptible y, además, hoy estará destrozado.

—Perfecto, Manu.

—Espero que sepas lo que haces.

—Tranquilo, lo sé perfectamente.

Por supuesto, no tengo ni idea de hasta dónde nos va a conducir esto —vaya, conducir, qué verbo más inoportuno, ¿no?—, pero en estas semanas he aprendido que actuar, en el sentido que sea, es la única reacción posible ante el caos, así que no voy a detenerme a reflexionar ni a darle más vueltas..

«Te apetece un café? Besos, Sandra».

«Claro. A las 7 en tu casa».

Acción. Acción. Acción.

Está claro —al menos, así es como yo lo veo— que, ante la realidad, no hay otra respuesta posible.

51

Lara ha etiquetado una foto tuya en Facebook.

Cumplió su amenaza. Lo que no sabe es que, ahora mismo, eso ya me da igual. No sé quién habrá tenido tiempo de verme abrazada a Hila en esa imagen medio borrosa tomada desde un móvil, pero tampoco me inquieta en exceso. Me limito a desetiquetarme y, si alguien me pregunta —no lo harán: la gente es muy cobarde para decir ciertas cosas de frente—, ya me inventaré algo que pueda ser medianamente creíble.

A Lara ni siquiera creo que le escriba. Me habría gustado que fuera ella la de los anónimos —eso cerraría el círculo y me dejaría un poco más tranquila—, pero está claro que sus métodos son mucho más bruscos. Y no es que quien me manda los correos sea un prodigio de sutileza y creatividad, pero al menos se molesta en no darse a conocer y eso, en cierto modo, le da un punto mayor de intriga.

En vez de escribirle un e-mail, o de llamarla, o de borrarla en Facebook —total, para qué—, creo que voy a limitarme a escribir a un par de discográficas donde, seguramente, estará probando suerte ahora mismo. No será difícil desacreditarla tanto como para que no vuelva a grabar un disco en su vida. Y no porque sea peor que otras, sino porque el mundo de la música no está pensado para gente tan vengativa. Ni tan inestable. Seguro que Lara, cuando se olvide de sus aires de grandeza, será una estupenda cantante de orquesta de hotel. O una magnífica recepcionista. O hasta, si la acompaña la suerte, una buena relaciones públicas en alguna discoteca de mala muerte. Pero poco más. Le falta la grandeza que se necesita en este oficio. Y en este gremio.

—Es una cabrona.

—No era más que una foto, Helena.

—¿Tu marido ha pensado lo mismo?

—Mi marido apenas usa Facebook. Lo tiene porque le creé yo el perfil. Pero jamás actualiza ni comenta nada. No habrá visto esa foto.

—Eso es lo que tú crees. Al final, todos acabamos mirando...

Helena, por supuesto, se alegra mucho del incidente. Todo lo que a mí pueda perjudicarme le resulta, bajo esa fachada de perpetuo y cansino buenrollismo, del máximo interés.

—Gracias por tus ánimos.

—De nada, Gaby. Ya sabes dónde me tienes.

Sí, justo debajo, esperando a que caigan las sobras o, mejor aún, a que me caiga yo para lanzarte encima. Qué ridículo todo, de verdad. ¿Cuántas capas de mentiras construimos al cabo del día? De repente, me parece un peso tan enorme que no sé, honestamente, cómo puedo seguir soportándolo.

—Te esperan en la sala de juntas.

—¿A mí?

—Un policía.

Le doy las gracias a mi secretaria y confío en que ese policía sea Hugo. Afortunadamente, no me equivoco. Es él. Me saluda con cariño —se le ve cansado: el episodio de Jorge debe de haberles abierto, a los dos, muchas viejas heridas— y me dice que ha venido porque ya saben de dónde proceden los anónimos. Me sorprende que hayan conseguido averiguarlo y él me confiesa que si lo han hecho es porque ha puesto un interés personal en el caso.

—Si no hubieras sido tú, ni siquiera me habría molestado. Este tipo de situaciones no suelen acabar en nada serio.

—¿Y si lo hacen?

—Mala suerte. La detención preventiva aún no existe.

—¿Y debería?

—No seas mala, Gaby. No me hagas parecer el típico madero: sabes que no lo soy.

—Me consta.

—La conoces, ¿verdad?

Una mujer. Eso tenía que haberme resultado evidente desde el principio. Por la cantidad de molestias que se había tomado para impedir que siguieran su rastro. Por la tenacidad en el envío de los mensajes. Por la capacidad para destruirme —al menos, un poco— psicológicamente en cada uno de ellos. Por su forma de minar mi autoestima. Sí, que era una mujer debía de haber sido obvio desde el principio.

—Claro que la conozco.

—Hicimos un mapa con los ciber desde los que te había escrito y la mayoría se encontraban en un radio de unos cinco kilómetros. No repitió ninguno, pero tampoco salió nunca de esos límites. Como no andamos sobrados de recursos, puse vigilancia en los tres únicos ciber que, a pesar de encontrarse en esa zona, ella todavía no había utilizado.

—Hasta que los usó.

—Sí.

—¿Y ahora?

—Ahora está en ti dar o no el siguiente paso. Tú sabrás si es lo bastante peligrosa como para dejarlo correr o si, por el contrario, prefieres olvidarte del tema. Los acosadores cibernéticos se cansan muy deprisa.

—La verdad es que esta semana solo he recibido uno.

—Sería el día de la foto.

—El martes.

—Exacto.

Puede que sí sea el último, porque el correo de ese martes sonaba a despedida. No había insultos. Ni amenazas violentas. En realidad, era tan diferente de todos los anteriores que, por un momento, dudé de que pudiera venir de la misma persona. Luego, en cuanto leí su versión del habitual «me has jodido la vida», me di cuenta de que su procedencia sí debía ser la misma. Aunque esta vez, esa segunda persona del singular, se volvía del plural: «Me habéis jodido la vida». ¿Quiénes? ¿Yo y quién más?

—¿Debería hablarlo con ella?

—¿Crees que tu integridad corre peligro, Gaby?

—¿Sinceramente? No. Creo que solo está desahogándose.

—Entonces, evítalo. Si te pones en contacto, puede que alimentes aún más su ira.

—Así que, lo que me propones, es que deje que se desinfle.

—Más o menos.

—Está bien. Gracias por el consejo. Y por haberte tomado tanto interés.

—Gracias a ti por cuidar de Jorge... Ya ves que no está en su mejor momento desde que yo me fui.

—Lo superará.

—Eso espero... Por cierto, ¿cómo está Leo?

—¿Leo?

—Sí, lleva tiempo sin venir al gimnasio... ¿Le pasa algo?

—Que yo sepa, no. ¿Por?

—Le he mandado algún sms y no me ha contestado... Además, hay un tema sobre el que querría hacerle un par de preguntas.

—¿Qué tema?

—Nada importante. Ya lo hablaré con él.

—Como quieras.

—Nos vemos pronto, Gaby.

—Gracias, Hugo.

«Me habéis jodido la vida».

No tengo ni idea de cómo lo hemos hecho, pero sí de quiénes somos —supuestamente— los responsables. Ahora que sé quién me ha estado escribiendo esos correos ya no me queda ninguna duda de la identidad del «vosotros» que encierra su plural. Un vosotros —según ella— que, hace tan solo unos días, también era un nosotros —para Leo y para mí—, un nosotros del que nos hemos resistido a hablar durante mucho tiempo y sobre el que se impone, hoy más que nunca, una conversación.

52

«Entrenas hoy?».

No es el primer mensaje que me manda, así que está claro que Hugo quiere hacerme unas cuantas preguntas. De momento no me ha citado ni como testigo ni como sospechoso oficial, supongo que lo único que le detiene es que le cuesta creer que alguien tan próximo a su entorno personal pueda estar implicado en esto. Su relación con Jorge y, a su vez, la amistad de Jorge con Gaby, es lo que le frena y le evita presionarme todavía más. Sin embargo, y a pesar de ese singular escudo que —al menos, hasta ahora— me protegía, insiste en vernos. Así que, o le digo que sí de una vez o se presentará en mi casa —o en el banco— en el momento más inoportuno.

«No, Hugo, pero si quieres, nos vemos esta tarde. Hay algo que me gustaría contarte. Te va bien a las 5?».

«Ok».

Imagino que mi mensaje le habrá desubicado. ¿Contarle? ¿Yo? No sé qué habrá pensado, pero lo cierto es que mi plan tiene como una de sus premisas básicas su reciente interés en mí... También cuento, claro, con sus ganas de cerrar el caso y de ganar algo con todo ello. Solo necesito servirle la resolución en bandeja de modo que no le quede ni una duda razonable sobre mi teoría. Si lo consigo, él tendrá las respuestas —y las medallas— que busca y yo, la tranquilidad que me merezco... Se hace extraño sentir que mi tabla de salvación puede ser, a su vez, la losa que me ahogue. Una putada.

Por un momento, se me ocurrió que podía ser Manu quien hablara con él directamente, pero luego vi que no era buena idea. ¿Y si a Manu se le notaba que mentía? Esta mañana, en el cementerio, estaba muy nervioso... No se le da mal el chantaje y la ocultación —eso me lo ha dejado claro—, pero no estoy tan seguro de que sea capaz de contar con frialdad algo que, en realidad, no ha sucedido. Seguro que responde bien si le interrogan, pero es diferente reaccionar a una pregunta que iniciar un relato. Y aquí, el que tiene experiencia en la narración soy yo. No llevo media vida —o vida entera— inventándome un personaje para que me tiemblen las piernas precisamente hoy.

Nos vemos en un café justo al lado del gimnasio y a Hugo —¿cuántas camisetas sin mangas tiene este tío?— le descoloca bastante cuanto le estoy contando. ¿Tan difícil es de creer? Solo le estoy diciendo que alguien llevó su coche al taller de alguien y que ese primer alguien no quiso avisar al seguro a pesar de las insistencias del segundo alguien. Tampoco me parece tan difícil de entender que el primer alguien tuviera tanta prisa por recuperar su vehículo que no diera el tiempo suficiente al segundo alguien para dejarlo perfecto, de modo que el primer alguien sacara su coche del taller con un pequeño —y casi imperceptible, pero sí comprobable— golpe en el parachoques del que el segundo alguien le avisó pero al que el primer alguien no dio importancia alguna. Y, desde luego, no es nada insólito que el segundo alguien, al saber por su hermano que el primer alguien había perdido a su hija en un extraño accidente de coche, tuviera la necesidad de hablar con la policía sobre ese primer alguien.

—¿Me estás diciendo que el padre de Alba fue al taller de tu hermano justo después del accidente?

—¿Por qué te crees que estoy tan obsesionado con ese tema, Hugo?

—¿Y cómo es que no me has dicho nada hasta ahora?

—¿Y acusar a alguien que acaba de perder a su hija? Joder, no podía soltar algo tan gordo sin averiguar antes alguna cosa más.

—¿Entonces tu amigo, el del hospital...?

—Vale, me has pillado. No había ninguno.

—No lo entiendo.

Controla la voz, Leo. No muevas demasiado las manos. Finge serenidad. Oculta los nervios. Entierra el miedo... No olvides que te lo estás jugando todo.

—Adrián tiene la edad de Alba. Tú no eres padre, pero no te imaginas lo que se siente cuando uno conoce tan de cerca una historia como esta... Tenía tres opciones: acusar a ese padre sin una sola prueba, pasar de todo y olvidarme del tema o ser responsable y tratar de saber algo más. Escogí la tercera y me obsesioné, supongo. ¿A ti eso no te pasa?

—Solo en mi trabajo.

—Ya.

—¿Tu hermano puede probar que Pablo estuvo en su taller?

—Claro, guardará la factura. Imagino.

No comprendo el silencio de Hugo. Le estoy dando en bandeja a su principal sospechoso: solo debe comprobar que el coche de Pablo tiene esa ligerísima —casi invisible— abolladura en el parachoques y revisar la firma de la factura —astutamente falsificada— en el taller de mi hermano. Conseguir la firma del padre de Alba, lo confieso, sí parecía complicado. Y sin ella nuestra prueba resultaría poco creíble. La firma de la entrega del vehículo. De la recogida. Y de la factura... Por suerte, Gonzalo tenía razón y era cierto que Pablo había sido cliente suyo en la otra sucursal. Solo tuve que saltarme algunos protocolos para conseguir papeles y documentos con su rúbrica original. Más adelante no sé si se molestarán en comprobar las firmas, pero tampoco me inquieta demasiado. Al revés, cada vez empiezo a sentirme algo más seguro... Noto que Hugo está demasiado interesado en cerrar este caso. Es mucho lo que podría ganar con ello... Además, quizá Manu sea el mejor abriendo coches ajenos, pero yo —desde aquellos boletines de notas que reinventaba y mejoraba para mis padres— soy un puto as falsificando.

—Lo que estás insinuando es muy grave, Leo.

—A mí también me cuesta creerlo, pero... No sé, tú mismo decías que era muy raro que el padre no estuviera allí esa noche. Que había algún cabo suelto...

—¿A su propia hija?

—Tuvo que salir a buscarla. Desesperado... Yo creo que la hija iba a hacer algo. Tal vez a denunciarlo.

—¿Denunciarlo?

—¿No te has fijado en cómo se comporta con Mireia?

—Sí que te has obsesionado con ese caso...

—¿Pero cómo me iba a lavar las manos ante algo así?

Nuevo silencio. Esta vez, mucho menos escéptico. Las piezas del puzle le empiezan a encajar. Además, le gusta que lo hagan. Puedo intuir cómo se imagina entrando mañana en la comisaría, cerrando el caso en breve y poniéndose todas las medallas que le apetezca. Estoy seguro de que lo más le interesa de mi teoría es que, si es cierta, va a quedar de puta madre ante sus superiores. Un ascenso, tal vez. Una brillante y repentina promoción. Una subida de sueldo muy oportuna en tiempos de crisis. Reconozco mi ambición en su mirada y espero, con paciencia, a que se decida a dar por buena mi teoría... Por mi parte, no olvido que cuantas más piezas le ofrezco, más me expongo ante él, así que de aquí solo puedo salir exonerado o condenado. No hay más opción.

—¿No estás yendo demasiado lejos con tus insinuaciones?

—Deberías hablar con la cría... Está aterrada.

—Ha perdido a su hermana. Eso es normal.

—A lo mejor está aterrada porque sabe qué hizo salir huyendo a Alba. Por eso su padre fue tras ella, enloquecido. Estoy seguro de que no quería que pasara nada, pero la lluvia, y la imprudencia de Alba... Cuando quiso frenar era muy tarde.

—¿Y no paró?

—¿Para qué? ¿Para confesar que había abusado de ella? ¿Que la había atropellado por intentar escaparse de él...? Ningún padre revelaría algo así. Jamás.

Por su gesto, noto que Hugo empieza a ver que mi hipótesis, aunque arriesgada, sí que tiene sentido. Explica por qué salió corriendo Alba. Por qué el padre no estaba en casa. Por qué la chica apareció en aquella curva aquella noche y a esas horas. Y por qué el conductor, después de atropellarla, no paró. Puede que mi teoría no sea verdad, pero lo que está claro es que funciona. Y que a él, si es quien la pone sobre la mesa antes que el resto de sus compañeros, le va a funcionar aún mejor.

—Dame el móvil de Manu.

En mi reloj, apenas son las seis. Bien, tiempo de sobra para llegar a mi cita con Sandra, tomar ese café —que espero que sea un eufemismo para echar un buen polvo— y volver luego a casa a cenar. Lo mejor es que ahora que sé que Gaby miente sobre quién y adónde va en sus salidas nocturnas, no me molestan los remordimientos.

—Puedes llamar a Manu cuando quieras, Hugo.

—Eso es lo que voy a hacer.

Mi hermano, tras mi intervención, no lo tiene difícil: Hugo está deseando creernos y beneficiarse de su hallazgo. Para ello, Manu solo ha de entregarle los papeles y describirle el golpe que nosotros mismos le dimos a su coche el otro día. Después, pase lo que pase, la investigación tendrá otro protagonista y, por mucho que niegue lo sucedido, las evidencias siempre apuntarán al padre de Alba. No sé si a Manu le será difícil mentir durante el juicio, pero estoy convencido de que pensar en el dinero que hoy mismo le he transferido a su cuenta —y con el que acabo de salvar su futuro— será una excelente motivación para hacerlo.

53

—¿Y Adrián?

—Con mi madre.

—¿Y eso?

—Tenemos que hablar, Leo.

Me he preparado cada palabra de esta conversación. Hasta he escrito un guion de todos los puntos que esta noche me gustaría abordar.

1. El anecdótico: ¿tú sabes qué motivo tiene Julia para mandarme anónimos? ¿Qué se supone que le hemos hecho tú y yo —porque habla de «vosotros»— a su vida y a la de David?

2. El circunstancial: ¿te estás tirando a alguien? ¿A qué viene lo del gimnasio, lo de las cenas fuera, lo de volver tan tarde entre semana?

3. El personal: ¿sabes que he estado con otros hombres? ¿Te afecta algo o te da lo mismo?

4. El radical: ¿crees que lo nuestro todavía tiene sentido?

Pero ahora, cuando lo tengo frente a mí, no acabo de sentir auténtica curiosidad por entender lo que le pasa a

Julia. Ni me apetece saber si Leo está viendo a alguien. Ni quiero compartir con él lo que me ha sucedido con Hila o con D. Ni espero que pueda responderme a una pregunta para la que hace tiempo que yo sí tengo la respuesta.

No, ahora solo me apetece que me explique una estupidez. Una de esas pequeñas mentiras que, no sé por qué, llevo metida en la cabeza desde que me enteré. Quizá porque me apetece desviar el gran tema. O quizá porque necesito que entienda que hasta en esas pequeñeces hace siglos que me ha sacado de su vida. Y yo a él de la mía.

—¿Algún día me explicarás qué pasó con el coche?

Y, lejos de reírse con mi pregunta, vuelve a ponerse lívido. Tanto como la primera vez que salió ese asunto. Como la noche en que regresó justo antes de que se inventara el accidente con la columna del que jamás me habría enterado si no fuera por Manu.

—¿De eso querías hablar?

Le tiembla la voz. Hasta ahora nunca le había pasado. Empiezo a estar segura de que llevamos años mintiéndonos —especialmente, a nosotros mismos— sin pestañear. Lo hacíamos con cierta soltura, con la convicción de que lo que decíamos, a su modo, podía ser realidad. O que, por lo menos, lo parecía. Pero hoy, a Leo, sí le tiembla la voz. Con una estupidez. Una anécdota idiota. Y le tiembla la voz.

—¿Y de qué más?

—Quiero hablar sobre la mentira.

—¿Las tuyas o las mías?

—Las de los dos.

Ambos lo sabemos. Ambos estamos convencidos de que el otro no dice la verdad. Leo recupera la compostura y su voz se vuelve mucho más firme. Hay algo casi monstruoso en su frialdad.

—¿Como esa cena con amigas a la que tú no fuiste?

—¿Me estabas espiando?

—Me lo contó Sandra.

—¿Y desde cuándo habla contigo Sandra?

Cada acusación encierra una autoinculpación más. No podemos confesar al otro lo que sabemos de él sin sacar a la luz lo que hemos ocultado sobre nosotros mismos. Tiene gracia, si seguimos hablando conseguiremos derruirlo todo, acabar, una por una, con las capas que nos han salvado de la locura en esta convivencia donde, ahora mismo, nada parece haber sido real.

—Estuvo en el banco.

—No me lo contaste.

—No lo creí importante.

—Ella tampoco.

—Porque no estabais cenando juntas.

—¿Tú cenaste con tus compañeros de trabajo?

—Claro.

—¿No eran clientes?

—También.

—¿Clientes o compañeros de trabajo?

—Ambos.

—¿Hasta las tres de la mañana?

—El trabajo manda. Igual que en tus viajes.

—¿Mis viajes?

—¿Te gustó Barcelona?

—Apenas la vi.

—Normal.

—¿Qué has querido decir con eso?

—Solo que tengas cuidado, a lo mejor te etiquetan en otra foto en Facebook y descubro dónde estabas de verdad.

Se supone que hoy pretendía sincerarme. Y afrontar los hechos. Pero me dejo arrastrar por su juego y termino volviendo a mentir, inventándome excusas. Una vez más...

Estoy cansada. Harta. Estoy agotada de llevar una vida que no me llena. Y de inventarme una mujer que no soy yo para fingir que esa vida sí que me satisface. Esto no puede ser todo. No a mi edad. Puede que en los bares no me miren como lo hacían antes. O que sea difícil encontrar amantes como D. u hombres como Hila. Sí, puede que no lo tenga fácil en el futuro, pero lo que empiezo a ver claro es que me queda demasiada vida por delante como para seguir encerrada tras tantas máscaras, construyéndome a imagen de lo que todos esperan de mí. No tengo fuerzas para seguir superponiendo nuevas capas de hipocresía. Ni de cinismo. Ya no. Prefiero afrontar lo que venga. Asumir el cambio, y la ruptura y hasta la cara de mi madre cuando sepa que su hija, según sus criterios, ha vuelto a fracasar. Pero yo sé que el portazo —y esta vez, sí, definitivo— que estoy a punto de dar ahora mismo no va a ser un fracaso.

Es un jodido triunfo.

Y tres...

54

No me va mal con Sandra.

Puede que sea un poco empalagosa —sobre todo con Adrián, que está empezando a cogerle un poco de manía—, pero me divierte ver cómo me idolatra y, sobre todo, cómo me complace en cada pequeña idea que se me ocurre. Con ella he tenido que construirme el yo de hombre-padre-perfecto y, la verdad, ahora mismo, es de los yoes más sencillos que nadie me ha pedido modelar.

En el banco, por supuesto, obtuve la dirección de la sucursal que pretendía —Gonzalo se ha venido conmigo: necesitaba un aliado fiel en esta nueva etapa— y, aunque a veces tengo pesadillas con todo lo ocurrido, empiezo a recuperar, más o menos, el sueño.

Hubo una etapa dura. Especialmente cuando comenzaron los interrogatorios y Manu amenazaba con romperse y echarse para atrás. Tuve que recordarle que se jugaba mucho y hasta hablar con Celia para que le prestase una atención especial en todo aquel proceso. La televisión encontró una mina de oro en esa historia y la investigación y el juicio se convirtieron en un circo mediático insufrible.

Quizá por eso Pablo hizo lo que hizo. No soportaba el escarnio. Todos —su mujer, su familia, sus amigos— le dieron de lado en cuanto se supo la verdad. Y puede que no todo fuera cierto, pero, según los psicólogos que examinaron a Mireia, sí que había indicios de abuso por parte de su padre. En el juicio se dijo que las pruebas, sin embargo, no eran concluyentes y que cabía la posibilidad de que la adolescente, al verse tan presionada en medio de toda aquella vorágine legal, hubiese exagerado sus palabras. A mí, sinceramente, nunca me pareció que Mireia exagerase nada. Pero supongo que nadie la miró a los ojos como la miré yo. Si lo hubieran hecho, no les habría quedado ninguna duda sobre ese punto.

De todas formas, el fiscal fue implacable y no permitió que el abogado sembrara más que algunas dudas sobre la veracidad o no de la firma —gracias al testimonio de un grafólogo que, a su vez, fue desmentido por el perista designado por la fiscalía—, así como sobre si su cliente había ido al taller de Manu o no. Para evitar problemas, convencimos a Salva de que afirmara haber visto a Pablo dejar su coche aquel día. Teniendo en cuenta la repugnancia que sentía Salva por aquel «cabrón pederasta» (el juicio paralelo de los medios de comunicación ya se había encargado de asentar esa verdad) y la generosa cantidad de dinero con la que le untamos por su inestimable colaboración, persuadirle no resultó muy complicado.

Además, a la defensa le fue imposible establecer cualquier tipo de nexo entre Manu, su taller y la familia de Alba, de modo que su teoría conspiratoria —¿el dueño de un taller falsificando una prueba para acusar a alguien a quien ni siquiera conocía y con quien no había ni un solo lazo previo?— resultaba del todo inverosímil. No así la acusación por abuso sexual que, conforme avanzaba el proceso, cada vez parecía tener más peso y fundamento como causa probable de la huida —y posterior accidente— de Alba.

No puedo decir que no me afectara. Pero, en el fondo, que Pablo se quitara la vida antes de ser declarado culpable no fue más que una manera de darme definitivamente la razón. No sé qué le llevó a hacerlo exactamente, aunque seguro que la conciencia tuvo mucho que ver con ello. A mí me ayudó a reconciliarme un poco más conmigo mismo. Todo había sucedido por culpa de aquel enfermo. Aquel tipo que había destrozado la vida de su hija mayor y que, gracias a mí, ya no podría hacer lo mismo con la menor. Hugo, que fue inmediatamente ascendido por su brillante labor en este caso, está convencido de que, entre los dos, salvamos una vida. La de Mireia. Y hasta hemos vuelto a tomarnos una caña juntos después del gimnasio, al que, aunque sin mucha convicción, sigo yendo de vez en cuando. Decidí no borrarme, porque me viene bien contar con una excusa creíble por si quiero fugarme a cualquier otro sitio alguna tarde.

Manu, por supuesto, ha conseguido salvar su taller y ahora tiene un mecánico más a su servicio. A Salva, como premio por su lealtad, le ha dado un ascenso simbólico (sí, mi hermano sigue siendo un perroflauta vocacional, aunque sea un materialista de hecho) y creo que él y Celia han empezado a plantearse lo de tener un hijo. A veces me llama para preguntarme si hicimos bien, pero cada vez menos. Creo que los ceros de su renovada cuenta corriente lo tranquilizan mucho.

A los ojos de Sandra, a quien le he contado —a mi manera— mi intervención en esta historia, soy todo un héroe, lo que refuerza aún más mi rol de padre perfecto, ese que creo que es el responsable de que hoy estemos juntos y de que formemos una pareja razonablemente bien avenida. Ella ha dejado de verse con Gaby, dice que por respeto, y yo me limito a hacerlo cuando tenemos que pasarnos al crío. Hemos optado por la custodia compartida por deseo expreso suyo. Yo prefería tenerlo solo algún que otro fin de semana, pero ella decía que quería espacio para sí misma. A Sandra eso le pareció una barbaridad, claro.

Igual que a Inés, que sigue viniendo a hacerme de canguro cada vez que le pido que lo haga. Nunca he entendido a qué viene que Gaby le tenga tanta manía a su madre, porque —y Sandra opina lo mismo que yo— es una señora estupenda.

55

De: ilsamad@hotmail.com
Para: jorgearaiza@yahoo.es
Asunto: Un nuevo inicio

No ha cambiado, Jorge. Capri sigue siendo uno de los lugares más hermosos que conozco. El refugio perfecto. Especialmente ahora, fuera de temporada, sin la invasión de turistas que lo harán insoportable en el mes de agosto.

Siento haberme escapado hasta aquí sin avisarte. Sin enviarte tan siquiera un sms de despedida. Pero necesitaba desaparecer durante unos días. Esconderme en algún sitio pequeño y en el que la cercanía del mar y la intensidad de la luz me permitan organizar ideas. Y sentimientos.

No está siendo sencillo. Creí que sí lo sería, pero dejar atrás mi matrimonio me ha exigido hacer un duro recuento —emocional y material— de todo cuanto habíamos acumulado en estos años. Y, en medio de ese inventario, también he tenido que pelear con la decisión de qué hacer con mi papel de madre, ese mismo rol que me ha absorbido —hasta acaparar casi toda mi identidad— en estos años. No es que haya adoptado la decisión más popular —entre mis amistades, creo que tú eres el único que no me ha juzgado por ello—, pero estoy convencida de que puedo ser mucho mejor madre si no lo vivo como una condena que me acaba limitando y cohibiendo en todo cuanto emprendo. Además, Leo tiene muchos defectos —igual que yo—, pero no es un mal padre. No me siento intranquila la semana que Adri está con él. Y, diga lo que diga la pesada de su tutora, Adrián tampoco parece estar adaptándose nada mal al cambio. Ojalá siga así.

Estos días, en nuestro hotel (La Minerva, ¿recuerdas?), he conocido a un tipo interesante. Es francés, de unos treinta y muchos, quizá cuarenta, y trabaja en la hostelería, como relaciones públicas de una cadena de restaurantes. Está tan cansado como yo de lo que hace pero ha aprendido —eso dice— a verlo como una forma de supervivencia. Es guapo, sí, y quizá por eso no he podido evitar acostarme con él.

Guardaré su contacto, porque puede que cuando vuelva a Madrid, después de este mar y de este sol, ya no tenga ganas de encerrarme en el mismo lugar en que estaba antes. Puede que me apetezca hacer una escapada a París de vez en cuando para encontrarme con el que es, oficialmente, mi primer follamigo. De momento, ya he dado un paso adelante en lo personal, ahora me queda saber cuándo —y cómo— lo daré en lo profesional. Podrías planteártelo tú también, Jorge, podrías pensar si te merece la pena seguir produciendo sainetes y obras mediocres o si prefieres que los años que tenemos por delante los pasemos arriesgando en algo que nos satisfaga mucho más. Tal vez no seamos jóvenes para según qué gente o según qué cánones, pero si he aprendido algo en este año tan difícil es que, más allá de todo eso, sí que somos aún jóvenes para nosotros mismos.

Tenías que verme ahora, Jorge, sentada en la Piazzetta, escribiéndote mientras apuro un cóctel y me deleito, entre párrafo y párrafo, contemplando los bronceados cuerpos de los camareros. Si me vieras te darías cuenta de que tengo razón. De que somos muy jóvenes. Tanto como queramos serlo. Como nos esforcemos por llegar a serlo. Porque tenemos por delante unos cuantos años para volver a inventarnos a la vez que la experiencia necesaria para conseguirlo.

Será la influencia del mar, o las noches con mi acompañante francés —te encantaría, lo sé—, pero últimamente me siento algo más cómoda, y hasta satisfecha, conmigo misma. Y se me agolpan los planes, Jorge, y las ganas de hacer cosas. Y la sensación de que todo está aún por escribir. De que me gustaría, sí tú quieres, poder escribirlo contigo.

Alguna vez, tú mismo me has dicho que creías que era posible empezar de nuevo. Comenzar otra vez. Y yo, que siempre he sido contraria a la idea de la reinvención, ahora —sí, debe de ser el mar— creo firmemente en ella, en que los nuevos inicios, desde la sinceridad, sí son posibles.

Claro que la verdad es dolorosa, Jorge, pero eso es algo que a nuestra edad no puede sorprendernos. Ni amedrentarnos. Y aquí, en este rincón del mundo, entiendo por primera vez que ese dolor es necesario. Un dolor por todo aquello que he dejado atrás, que he visto romperse, en lo que he fracasado y que ahora, desnudo y sin una sola mentira que lo cubra, me deja un inmenso espacio en el que poder volver a construir.

Un mar —libre e inmenso— que recorrer.

Te espero,

G.

Agradecimientos

No es fácil resumir en solo unas líneas todos los instantes —y las personas— que han hecho que esta novela llegue a serlo. Podría empezar por Juan, porque su complicidad le da sentido a mi literatura. Y a mi día a día. O por mis padres, porque su aliento es mi mejor refugio. O por mi abuela, porque ella es el espejo en el que me miro cuando pienso en cómo quiero llegar a ser. O por mi hermano Alberto, porque nuestra historia, de apoyo absoluto, es radicalmente opuesta a la de Leo y Manu.

Podría comenzar también por mis amigos, claro. Porque son ellos y, por supuesto, ellas quienes me ayudan a inventarme vidas coherentes con quien realmente soy y, sobre todo, con quien espero seguir siendo. No sabría definirme sin nuestras comidas y *brunches* juntos, sin nuestras cenas y copas (de *juergues*, de *satur-night...*), sin nuestros ensayos teatrales, sin nuestras tardes en La Latina, sin nuestros conciertos de puro *guilty-pleasure*, sin nuestros viajes y escapadas juntos... Este párrafo podría ser interminable —sabéis bien quiénes sois—, pero si en algo he sido siempre afortunado, es en la amistad.

Podría, cómo no, comenzar por el magnífico equipo de Espasa. Mis editoras, Miryam y Belén, que ponen todo su mimo y su talento en cada libro. David y Sergio, que se dejan la piel intentando que cada novela llegue al mayor número de lectores. Y María Jesús, cuya sensibilidad consigue hacerme creer que todo va a ir necesariamente bien.

Y, por supuesto, podría comenzar dando las gracias a los lectores que os acercasteis a *La edad de la ira.* Y a todos los que ahora habéis decidido adentraros en *Las vidas que inventamos.* A quienes me seguís en Twitter y lleváis meses interesándoos por la historia de Gaby y Leo. A quienes comentáis mis libros y mis obras de teatro en mi muro de Facebook. A quienes leéis cualquiera de los blogs en los que escribo. A quienes me mandasteis un tuit o un mensaje emocionante tras ver alguna de las funciones de *Cuando fuimos dos* en la Sala Triángulo. Y, en definitiva, a todos los que me leéis, me escribís e intercambiáis conmigo vuestras ideas en el medio y el modo que sea, porque sois —con vuestras palabras y vuestras lecturas— quienes les dais sentido al hecho de escribir.

Gracias, sinceras y necesarias, por estar ahí.

Nos vemos en las redes.

@Nando_J